NO quiero ser adolescente

Novela Motivacional para Padres e Hijos.

Ferney Ramírez

Este libro lo dedico con todo mi amor y gratitud
a mi abuela y mi madre,
las personas más importantes de mi vida;
gracias a ellas, hoy soy lo que soy.

A mi esposa por llenar mi corazón de mucho amor,
por creer en mí y apoyarme en todo lo que hago.
Gracias por caminar siempre a mi lado.

A mi Hija Sarah,
Por llenar mis días de ilusiones,
por poner en mi corazón sueños e ilusiones
y por dar a mi ser, muchas ganas de vivir.

Primera impresión, Enero del 2009
ISBN 978-0-615-27497-3

CONTENIDO

INTRODUCCION..6

Capítulo 1
MAMA, PAPA... NO ME DEN COSAS, DENME
EJEMPLO
Sobre la Familia... 11

Capítulo 2
NO, GRACIAS... PREFIERO ESTUDIAR.
Sobre las Presiones y el Carácter 61

Capítulo 3
SI ME QUIERES... RESPETAME.
Sobre la Amistad, el Noviazgo y la Sexualidad.............121

Capítulo 4
YO... SI PUEDO.
Sobre Autoestima y Liderazgo..............................181

INTRODUCCIÓN

Para los Padres de Familia -algunos- es muy fácil comprender y controlar a los niños; ellos obedecen cuando se les indica algo, si es que les conviene; ellos piden, por medio de rabietas o berrinches para saber **hasta dónde pueden conseguir lo que quieren**; otros con una forma agresiva o manipuladora imponen su voluntad ante la autoridad, pero como sea no deja de ser un simple juego de emociones entre padres e Hijos.

Pero definitivamente, donde a los padres se les complica la vida es cuando sus hijos llegan a la edad de la adolescencia... porque ya no es el berrinche la forma en que el niño domina su mundo; ahora son la rebeldía, la incomprensión, la soledad y el desafío las nuevas formas de entender y controlar la realidad de un hombrecito o una mujercita que empieza a querer ser maduro e independiente. Es en esta etapa de la vida donde muchos padres de familia no saben cómo hacer valer su autoridad y liderazgo frente a los Hijos.

La adolescencia para muchos se convierte en un estado al que no quieren llegar, tanto los padres por su difícil manejo como para los chicos que tienen que vivir en un contexto donde nadie los entiende, todos los critican y rechazan y, simplemente por estar en su propio mundo alejados incluso de su propia familia.

Este libro, narra en una forma novelesca las reflexiones de una adolescente, una chica de 17 años que se tiene que enfrentar por ella misma a las adversidades de la vida, a las presiones de un mundo que quizás no es el suyo, al miedo de tener que encontrase ella misma, al pánico de tomar   decisiones que pueden cambiar totalmente su vida y lo más importante aún al reto de construir su propio destino, su propio futuro, muchas veces sin el acompañamiento y el apoyo de sus propios padres.

En esta narración analizaremos cuáles son las valoraciones que los adolescentes de hoy tienen de sí mismos, de su familia, de su realidad cultural, de su misión en la vida, de su futuro. En este texto visualizaremos a través de una conversación lo que los chicos piensan de la vida que les tocó vivir, cuáles son sus crisis y sus miedos, el por qué de sus reacciones ante todo lo que implique autoridad y control para sus vidas.

"Soledad" la protagonista de nuestra historia refleja el conflicto mental y emocional en que se encuentran muchos de los jóvenes adolescentes que están en busca de su propia identidad, muestra la guerra interna por tratar de encontrar respuesta a un mundo incoherente, a una sociedad de doble moral... refleja la continua lucha de un hombrecito que está batallando por dejar de ser ese niño que necesita   seguridad   y   protección...   la contradicción de una Mujercita que todos los días pelea consigo misma por dejar definitivamente esa personalidad de niña que necesita ser controlada y guiada por los demás.

El nombre de SOLEDAD, personifica ese estado mental, esa guerra psicológica en que se encuentran muchos de éstos chicos que están pasando por la difícil edad de la adolescencia; el aislamiento, el silencio, el encerrarse en sí mismos, son las típicas características de aquellos jóvenes que están tratando de comprender el mundo, la vida... mientras nosotros batallamos con ellos para comprenderlos, ellos están batallando consigo mismos para entender el por qué de sus vidas, y esto muchas veces lo ignoramos.

A lo largo de la novela nos vamos a encontrar con otros protagonistas que son claves en el desenlace de esta historia, cada uno de sus nombres representan un significado, una tragedia, un mensaje o una realidad que hacen parte del mundo de éstos adolescentes y que implican la necesidad de un acercamiento entre ellos y su mundo familiar.

Por eso, te invito a que trates de descubrir en Soledad a tu hijo, a tu hija... a ese adolescente que muchas veces rechazas, que regañas y gritas, a la que le exiges y muchas veces hieres y haces daño con tus palabras y acciones; ese Hijo, con el que muy pocas veces te sientas a dialogar para comprender sus acciones y temores. Quiero que veas en Soledad, esa hija que tienes en tu casa pero que muchas veces es una perfecta desconocida para tí, porque no sabes nada de sus amigos, de sus anhelos, de sus tristezas, de sus logros... y simplemente, porque no sabes cómo llegarle, no sabes cómo comunicarte con ella, cómo corregirla, cómo orientarla y guiarla por los caminos de la vida.

Por eso, te reto a ti, como lo hice con la protagonista de la historia, a que después de terminar la lectura de este libro, tú tomes la iniciativa para hacer todo lo posible para mejorar la comunicación con tu hijo(a) adolescente, -o con tus padres si es que eres un chico(a)- Búscalo, háblale, míralo a los ojos, sostén una comunicación abierta y profunda; y lo más importante, no lo critiques, no lo juzgues, ni lo castigues... simplemente, corrígelo.

Lo que nosotros como hijos necesitamos no es que nos castiguen o controlen, sino que nos eduquen y formen para la vida... y eso solo lo puedes hacer si cambias tus actitudes hacia ellos.

Te reto, hazlo. Mejora la relación con tus hijos, vas a ver que es más fácil de lo que te imaginas.

Con aprecio,
Ferney Ramírez, Autor.

Capítulo 1

MAMA, PAPA... NO ME DEN COSAS, DENME EJEMPLO

Sobre la familia

Son las 3:00 p.m. llego de la escuela, mamá como siempre está en la cocina preparando la cena porque papá ya no tarda, mis hermanitos como de costumbre, peleando por el control del televisor y mamá gritándoles para que se calmen, yo entro como si nadie hubiese notado mi presencia.

-Soledad, cámbiate rápido para que me ayudes a limpiar.
-Ya voy mamá.
-Por qué siempre llegas a encerrarte en tu cuarto habiendo tantas cosas qué hacer?

Me tiro en la cama y me pregunto si todos mis amigos viven igual, será que sus familias son como la mía? o será que ellos viven diferente. Yo quisiera que cuando llegara a casa, mi madre me abrazara, me preguntara algo, no sé, quizá, cómo fue el día, que aprendí hoy?... por qué a mí no me pregunta estas cosas y por qué con mis hermanitos si pasa horas ayudándoles a hacer las tareas? Será que por el sólo hecho de crecer vamos perdiendo el privilegio de ser amados por nuestros padres? Será que por ser adolescentes ya no tenemos el derecho de hacernos sentir especiales?

-Soledad, Te dije que me ayudara a limpiar, por qué es que no obedeces? Siempre encerrada en tus cosas, un día de éstos te voy a dar unas buenas cachetadas para que te acuerdes de mí.

-Mamá no me grites, me choca cuando lo haces.

-Entonces obedece cuando te mando.

-No tienes otra forma más amable de pedirme las cosas?

-Contigo tengo que ser así, porque no entiendes

En la confusión de mis pensamientos, me pregunto: será que mamá no se dará cuenta que entre más me grita más hago las cosas de mala gana; las hago porque me toca, porque quiero evitar un castigo, pero me fastidia muchísimo cuando me habla así. Créanme que si ella me hablara de buena manera, si me pidiera el favor, yo le atendería con respeto... lo que pasa es que está estresada y todo ese estrés lo quiere sacar conmigo, no es justo.

-Ya terminé, me voy para el cuarto.

-Ponte a limpiar tu habitación, recoge ese tiradero que tienes allá.

-Mamá, es mi cuarto y a mí me gusta así.

-Por qué siempre te gusta llevar la contraria? mira tu hermanito Juan, siempre obedece cuando lo mando, en cambio tú, no.

-Porque yo soy más grande que él y yo arreglo mi cuarto como a mí me gusta, es mío –le contesté en un tono desafiante-

-Sí ves, que contigo es difícil hablar.

-Mamá, yo no estoy molestando a nadie, en mi cuarto me siento feliz... por qué no te das cuenta que es el único espacio de la casa donde me siento libre, donde yo siento que soy yo, donde desahogo mis problemas y me siento bien conmigo misma.

-Hija, yo nunca tuve una habitación para mí, me tocaba dormir con tres hermanos más en un mismo cuarto. En mi época no existía eso que tú llamas "mi espacio".

-Eran otros tiempos mamá.

-Tenía que ayudarle a mi madre con todos los quehaceres de la casa y sin si quiera protestar, me gustara o no, tenía que ayudar a limpiar y hasta hacer de comer, a tu edad ya cocinaba para mis hermanos.

-Por eso eres así de amargada.

-No entiendo por qué los chicos de hoy son tan flojos y perezosos, entre más cosas se les da, menos valoran a sus padres; entre más cómodos viven, más exigentes se vuelven… entre más se les da todo en la mano, más inútiles y rebeldes se convierten.

-Ay mamá, ya vas empezar con lo mismo de siempre.
-De verdad hija, no te imaginas como fue mi niñez, mi mamá fue muy estricta conmigo, muy severa.

Un silencio se apoderó del escenario donde las dos estábamos, sentí en su rostro una gran necesidad de decirme algo, sus ojos por un instante se aguaron con unas pequeñas lágrimas que brotaban de su interior... Por primera vez, mi madre dejó de lado su rostro duro de mamá exigente -ese rostro que siempre estaba acostumbrada a ver- y, poco a poco, empezó a abrir ese corazón de amiga, de hermana, de confidente que muchas veces yo anhelaba tener.

Era una tarde fría y lluviosa, mis hermanitos estaban perdidos en un profundo sueño y por cosas del azar, se generó un diálogo muy profundo y abierto con mi mamá... por primera vez, la sentí muy humana, como si estuviera carente de amor, de que alguien la escuchara, la abrazara y la entendiera. Por primera vez, sentí que era mi mamá –la regañona- la que deseaba y necesitaba que fuera su propia hija la que la oyera, que la entendiera e incluso que la consintiera, eso me hizo sentir muy especial, conectada con mi mamá, porque entendí que detrás de ese rostro duro y fuerte se escondía una niña, una adolescente dulce pero que los sufrimientos y los maltratos de mis abuelos la habían vuelto dura consigo misma, con la vida, incluso con nosotros sus hijos, las personas que más ama.

-Hija, tu abuela fue muy estricta conmigo, me pegaba por cualquier cosa, para ella no había nada perfecto, siempre que me ponía a hacer algo me castigaba porque no quedaba bien, me pegaba en la cara, cachetadas, puños y me decía cosas horribles que nunca olvido: me gritaba que yo era una inútil, que por eso es que no me quería tener, me dijo que una vez había maldecido el día en que había nacido.

A medida que mi mamá me contaba todo esto un nudo se le hacía en la garganta como si estuviera tratando de impedirle que hablara sobre eso, como si el dolor del de un pasado horrible fuera tan grande que no podía salir por la boca; sentí que ese recuerdo la asfixiaba, le impedía pronunciar palabra alguna, su mirada estaba perdida, como si estuviera hablando sola con su pasado.

-Mi madre fue muy cruel –continúo- A veces, me encerraba en el cuarto por horas, por días, no me dejaba salir, me tenía escondida en la casa porque decía que yo era una vergüenza para ella -un llanto incontrolable acompañó sus emociones, me sentía impotente, sin palabras, no era capaz de hablar- Cuando estaba muy enojada, me amarraba a la cama y me cerraba el cuarto con la luz apagada, yo no podía gritar porque me castigaba más fuerte, me resignaba a quedarme sola, llorando en silencio, en medio de esa soledad acompañada de tristeza que a veces me hiere en lo más profundo de mi ser.

-Mamá, yo no sabía esto de ti, por qué soportaste tanto?

-Tenía mucho miedo, tu abuelo era un alcohólico, siempre que llegaba tomado le pegaba a tu abuela y luego seguía con nosotros, me agarraba del pelo y me obligaba a que le hiciera algo de comer, a él y a sus amigos, no le decía nada porque le tenía mucho temor. Aunque tu abuelo me quería mucho y me consentía demasiado, cuando llegaba borracho era otra persona totalmente diferente, irreconocible.

Un llanto intenso empezó a brotar de los ojos de mi madre, sentí que tenía una inmensa necesidad de sentirse escuchada, de desahogarse, de poder contarle a alguien algo que por muchos años llevaba oculto en lo más profundo de su corazón, se sentó en el comedor, agachó su cabeza y lloró sin parar, solo me acerqué, la abracé, le acaricié su rostro, con un sentimiento de impotencia que abarcaba todo mi cuerpo.

-Cuando tenía 10 años, mi papá llevó unos amigos a la casa, estaban tomados, muy tomados -empezó a llorar con más intensidad y fuerza, no entendía lo que pasaba- Al amanecer todos estaban tirados en la sala, estaban dormidos, yo me levante al baño y alcancé a ver que uno de ellos seguía aún medio despierto, yo lo vi y él me miró, cuando iba a salir del baño... -empezó a llorar más fuerte- ese tipo estaba ahí, parado en la puerta, me empujó, me tapó la boca y me encerró en el baño −su llanto no me permitía escuchar lo que me decía, mi madre estaba inconsolable mientras a mí me inundaba un conjunto de sentimientos encontrados: rabia, coraje, ternura, dulzura- Hija, me tocó, me acarició y... abusó sexualmente de mí.

-Mamá, lo siento -la abracé con toda mi alma, y lloré con todo mi ser, como si un pedazo de mí se quedara para siempre en los brazos de mi madre. Lloramos juntas como dos chiquillas-

Empecé a ver cómo las lágrimas de mi mamá corrían por su rostro, evitaba mi mirada para no sentirse culpable, sentí muchos deseos de venganza, quería decirle que la entendía pero las palabras no me salieron, quería con mis manos quitarle el dolor que en ese momento estaba sintiendo... la abracé fuerte y lloramos juntas. Esa tarde jamás la olvido porque por primera vez sentí a mi mamá como alguien desprotegida que buscaba el amor de su hija -que sentía que ya estaba perdiendo por los cambios de la edad-

-Hija te quiero mucho, te amo con todo mi corazón, no te quiero perder, siento que te estás volviendo toda una mujer y no quiero que sufras como yo sufrí.

-Mamá, yo también te quiero mucho, perdóname por las veces que soy rebelde contigo, por la forma que a veces te hablo y te enfrento.

Ese día, las dos lloramos como dos hermanitas, como dos amiguitas que hacía mucho tiempo no se re-encontraban a hablar de su vidas, ese tarde fue una de las más bellas de mi vida, porque sentí muy cerca a mi madre, sentí que ella entró nuevamente en mi corazón para quedarse ahí, yo que creía que ya se había salido para nunca más volver a entrar. Esa tarde lluviosa de octubre se quedó en mi mente como una fotografía, la foto del reencuentro de una chica que jugaba a ser Mujer... y una Mujer que anhelaba ser chica nuevamente para cambiar su pasado.

Ya son casi las 6:00 p.m. estoy impresionada, hago todo lo que sea para no hacerla sentir mal; mi mamá está un poco avergonzada por haberme contado todo esto, la siento, así son las madres cuando no quieren que sus hijos se den cuenta de sus tristezas, evaden la mirada, agachan la cabeza... entendí su pena, pero más que eso, entendí su vida, sus miedos, sus inseguridades, ahora sabía perfectamente por qué tanta evasiva cuando le pido algún permiso para salir con mis amigos, por qué me pregunta con frecuencia que si alguien me ha insinuado cosas, por qué cuando llego tarde la noto ansiosa y desconfiada... ya entendí que es por su pasado, por ese triste episodio que marcó su vida para siempre, que la dañó como niña, como adolescente, como mujer.

-Ya te sientes mejor mamá?
-Perdona por contarte todo esto hija, tú no tienes la culpa.
-No mamá, no pienses eso... ahora te entiendo, y comprendo por qué eres así conmigo.
-No quiero que pienses mal de mi hija
-No, mamá. Te prometo que no.

En ese instante llega mi padre del trabajo, como siempre... malhumorado, en silencio, sin un beso de cariño para su esposa e hijos, callado, sin palabras, como si el llegar a la casa fuera un sacrificio, una tortura y no un acto de amor. Ya me acostumbré a esta vida, en mi familia las cosas siempre han sido así: un papá que trabaja para traer comida a la casa y para que a sus hijos no les falte nada; una mamá que cocina y cuida a sus hijos, unos chicos que su única responsabilidad es ir a la escuela. Pero no veo más, no veo al hombre que ama a su esposa, la mujer que se alegra con la llegada de su esposo, no veo en mi casa unos hijitos que ríen, juegan y disfrutan su niñez y que salen corriendo a abrazar a su padre cada vez que llega del trabajo. A lo mejor, por eso, es que nuestra habitación se convierte en nuestro refugio, el lugar donde evadimos esa triste realidad.

Me fui a la habitación pensando en todas las cosas que mamá me había compartido, jamás me imaginé que le hubiese tocado pasar por todo esto, debió ser difícil para ella... es muy duro para uno de hijo tener unos padres así; que en vez de dar amor, den violencia, que en vez de proteger a sus hijos les hagan sentir miedo, que en lugar de dar confianza y seguridad brinden rechazo.

Quedé muy impactada con su testimonio, muchas emociones encontradas pasaron por mi mente, me imagino lo que todo eso significó para una chica a los 10 años, que pena con mi madre... Si los padres les contaran a sus hijos sus historias, sus tristezas, su dolor, a lo mejor nosotros seríamos más sensibles, los entenderíamos más, comprenderíamos el por qué de sus inseguridades, de sus exigencias, de sus consejos y lo más importante, habría menos silencio entre padres e hijos.

Esa noche lluviosa facilitó que entrara en un profundo sueño, solo recuerdo que antes de dormir unas lágrimas recorrieron mi rostro, como dando respuesta a ese sentimiento de impotencia al escuchar la vida de mi madre... pero curiosamente, esas mismas lágrimas eran la respuesta a algo muy bello que había experimentado: el día que me re-encontré con una gran amiga que hace muchos años sentía muy lejos de mí: mi mamá.

Es temprano aún, y unas voces me despiertan, no se qué hora es, no recuerdo a qué hora me dormí, estaba tan cansada que no me di cuenta, hasta me quedé con la misma ropa; escucho una discusión, son las 7:15 a.m. Hoy no tengo escuela ¡que tortura!, por lo menos allá en la escuela me distraigo y no tengo que quedarme aquí escuchando el show de todas las mañanas: mamá y papá discutiendo por lo mismo.

-Ya estoy cansada de ti, ya me tienes harta.
-Pues lárgate si es que estás aburrida.

-Si tuviera algún lugar para donde ir, créeme que hace mucho tiempo que lo habría hecho

-Pues vete para donde tu hermana, la que tanto te defiendes.

-Sólo te la pasas trabajando, lo único que te importa es tu maldito trabajo y tu familia no.

-Pues entonces, por qué no trabajas para que me ayudes con los gastos de la casa? porque que bonito hablas.

-Y quién llevaría y traería a los niños de la escuela, quién les haría de comer... tú, verdad?

-Ya me tienes cansado con tus estupideces, hablas puras idioteces.

-Sí claro... al menos no soy como tú, que se cree muy listo y mira cómo te dejas mandar por tus hermanos.

-Ya te he dicho que con mi familia no te metas.
-Te molesta que te diga la verdad, no es cierto?
-Ya cállate, cada vez más tonta, sírveme el desayuno.

-Para eso sí soy tu mujer, es para lo único que te importo.

-Ya ni para eso sirves, no sabes ni hacer de comer.

Mientras mis papás siguen en esa conversación tan profunda y ejemplar para una hija adolescente, yo sigo en mi cama, acostada reflexionando en todas las majaderías que ellos se están diciendo, es increíble que dos personas que supuestamente "se aman" se traten así, no puedo entender por qué dos personas que dejan de quererse y respetarse siguen conviviendo juntas, por qué para muchas personas es más el afán de mantener una relación de pareja, que el hecho de ser realmente feliz? Yo no quiero eso para mi vida...

A lo mejor piensan que nosotros sus hijos estamos dormidos y creen que no nos damos cuenta, pero estoy escuchando todo lo que realmente sucede entre ellos. ¡Qué tristeza! el día apenas está empezando y ya mis padres se están maltratando; esa es mi familia, el hogar donde estoy creciendo, donde mis hermanos se están "educando"... los padres que nos están "guiando", no se si formando o "deformando", éstos son los padres que nos tocó tener, que la vida nos impuso, que nos obligaron a aceptar y querer como nuestros "guías" y maestros. Maestros de qué? qué me están enseñando?

Bajé al comedor para ver si entendían la señal, que se dieran cuenta que me estaban involucrando -aunque no se daban cuenta- en sus conflictos; para decirles que me estaban haciendo partícipe de sus incoherencias, de sus resentimientos y frustraciones como pareja, con mi presencia les estaba tratando de decir, ¡basta! Si no son capaces de vivir en paz, por lo menos, aprendan a respetarse, a manejar sus espacios, o por lo menos el de nosotros sus hijos. No se dan cuenta que cuando uno es adolescente los problemas de la casa se convierten para uno, en un conflicto más.

-Hola papá.
-Por qué no fuiste a la escuela hoy?

Ni un saludo cariñoso de su parte; siempre he extrañado eso, papá siempre ha estado muy distante de nuestras vidas, tanto que no sabe nada de mí, por eso exige y regaña, porque no sabe quien soy yo. Los padres que no se involucran en la vida de sus hijos no saben como ganarse el respeto de ellos, por eso, lo imponen con exigencias.

-No tuve clases hoy.
-Y por qué?
-Hoy los maestros tienen desarrollo profesional.
-Entonces ponte a ayudarle a tu mamá, que siempre se queja por todo.
 -Ya vas a empezar otra vez? -replicó mamá-
-Contigo no se puede hablar.
-Tú eres el que siempre empiezas las peleas.
-Definitivamente tú estás mal, por qué no buscas un psicólogo para que te quite ese mal genio que mantienes.
-Tú eres el histérico y malgeniado.
-Estás loca mujer, cada vez te veo peor.

No digo nada, sólo escucho el sin sentido de una conversación que tiene como objetivo agredir, hacer daño, herir al otro. No puedo creer que dos personas maduras se agredan sin piedad, tratando de imponer, cada uno su razón. Estoy sentada a un lado y no puedo creer cómo la rabia y el coraje hacen que me ignoren, ni se dan cuenta que su "hija" está en medio de esa batalla, en esa guerra de palabras que sólo hace confundirme y dañar mis emociones; a lo mejor, por eso es que no les tengo ningún respeto, ni sentimiento de admiración por ninguno de ellos porque no puedo aceptar y comprender cómo ellos viven así, "amándose" y haciéndose daño a la vez.

Me confundo demasiado cada vez que mis padres discuten delante de mí, no sé si a mis hermanitos les pasa lo mismo, a lo mejor sí, lo que pasa es que ellos son niños y no ven el problema como yo lo veo, a lo mejor en el juego o en la escuela ellos descargan su furia, su confusión... el problema es que yo soy adolescente y esos conflictos familiares me afectan profundamente; por eso, quiero salir de mi casa, no quiero estar ni un minuto más aquí, el ambiente de mi casa me desespera.

-¡Ya basta! Dejen de discutir. -grité con enojo-
-Sí ves, se está volviendo igual de majadera a tí.
-Dejen de decirse estupideces.
-Hija tu me respetas, soy tu Padre. -me gritó-
-Para exigir Respeto, hay que darlo Papá.
-Si sigues hablándome así te voy a dar unas buenas cachetadas.

-Estoy harta de escuchar todos los días discusiones entre ustedes dos, viven como si fueran enemigos, esta casa no parece un hogar, parece una cárcel donde todos los enemigos viven juntos.

-Así es como has educado a tu hija, verdad? me la has puesto en mi contra.

-Papá, yo estoy hablando por mí, los dos son culpables de lo que está pasando entre ustedes, para mí es muy incómodo vivir en una casa así... por eso, es que nunca traigo a mis amigas a esta casa porque me da vergüenza que empiecen a pelear delante de ellas.

-Me voy a ir de esta casa, ni mi mujer ni mi hija me respetan.

-Papá, si quieres que te trate como el Padre que eres, pues compórtate como tal, de qué me sirve decirle a mis amigas que tengo papá, si cuando te necesito nunca estás -unas lágrimas empezaron a brotar de mis ojos, la verdad no quería llorar, porque no quería darle el gusto a mi padre que me viera así-

-Ya ves, lo que has hecho, cómo has educado a esta cabrona.

-Papá, no me trates así, con malas palabras, respétame por favor.

-Eres igualita a tu madre, unas desagradecidas, no les falta nada en la casa y a toda hora viven quejándose.

-Sí Papá, en la casa no falta comida, pero hace falta lo más importante: Amor y Comprensión... de qué sirve que vivamos en una casa bonita pero mira ustedes dos como se tratan, sin ningún respeto -mis lágrimas salían sin parar, hablaba con más sentimiento, como si mi alma quisiera salirse por completo, me estaba desahogando, estaba dejando salir todo ese coraje represado; por primera vez enfrentaba a mi padre de ese modo, con la verdad-

-Ya cállate -me gritó mi padre-

-Papá entienda por favor, nosotros no sólo necesitamos casa, comida, ropa; hay cosas más importantes que nos hacen falta: diálogo, tiempo, dedicación, armonía, ejemplo... sí papá, ejemplo. De nada sirve que tenga en mi habitación un televisor, una computadora, un video-juego y otras cosas que tú me has dado, pero no tengo lo más importante: el amor de un Padre. Yo no quiero esas cosas, yo quiero que tú me hables como un padre, como un amigo, como un consejero; a veces quisiera decirte lo que me pasa, quisiera confiarte tantas cosas que me han sucedido, tantas dudas que tengo en mi cabeza, pero me da miedo decírtelas porque no se cómo vayas a reaccionar -estaba hablando con tanto sentimiento, que mi llanto desarmó la intolerancia de mi papá, atenúo su agresividad y lo hizo que callara y le permitiera escucharme, porque la verdad, estaba hablando con el corazón-

-Ya ves, -replicó mamá- tu hija ya no es una niña, ella se da cuenta de todo lo que pasa aquí, por eso ten más cuidado cuando abras la boca.

-Mamá, no empieces, estamos tratando de hablar como familia y tú con esa actitud no vas a ayudar en nada.

-Pero es que tu padre no entiende, se lo he dicho muchas veces que ya tú estás grande y que nuestra peleadera te va a afectar, pero él no comprende.

-A mí nadie me enseña a cómo educar a mis hijos, si estamos así es por tu culpa, -contestó papá- a toda hora creando problemas donde no los hay.

-Con ustedes definitivamente no se puede, por qué mejor no se separan?, creo que viviríamos mejor así.

No quise seguir discutiendo con ellos, salí al jardín y me senté en una silla en la que suelo pasar cuando tengo problemas; tenía rabia, no entendía por qué no podían dos adultos entrar en razón y poder tener una conversación madura, como dos personas civilizadas. No sé cuánto tiempo estuve allí, lo cierto es que me sentí alejada de mi mundo familiar por algunos minutos. Sentí que mi padre cerró la puerta y se fue en su auto -suele huir cuando se siente confrontado- Mamá sigue allá, esclava de sus quehaceres, como si el lavar platos, recoger la ropa sucia y estar suplicándoles a sus hijos que coman, la hicieran mejor madre.

No quería estar más allí, quería huir –como lo hace mi padre cada vez que se enfrenta a su verdad- pero hoy no tenía escuela, debía inventarme algo para poder "escapar" de este infierno que me asfixia cada vez más... quería llamar a Dolores, de cariño le digo Dolly, es mi mejor amiga -pero como su nombre lo indica su vida era un mar de dolores, de sufrimientos, ella estaba peor, tenía más problemas que yo, quizás por esa razón éramos tan amigas- ella es la única que me escucha, que me comprende, que entiende mis problemas, es mi confidente, a ella le cuento todas mis angustias, mis problemas, lo que sucede aquí en la casa, mis dudas, mis inseguridades.

Dolly es la hermanita, o tal vez, la mamá que nunca he tenido. Tiene 17 años, la misma edad mía, ella ha vivido situaciones muy parecidas, en su casa hay los mismos problemas que yo tengo aquí en mi "hogar": Padres peleándose delante de los hijos, papá gritándole a mamá, mamá diciéndole majaderías a papá, mamá que desquita todo su coraje con sus hijos, papá que se la pasa trabajando todo el día, mamá que quiere más a los niños pequeños que a los grandes y que sólo sabe decir malas palabras y dar castigos para que sus hijos le obedezcan, esto entre otras cosas.

Entro a la casa y evito cualquier contacto con mi mamá, porque ya sé lo que me va a decir: "ponte a arreglar tu cuarto, ayúdame con el aseo de la casa", como si de esta manera, teniendo una casa bien arreglada, pudiera solucionar su gran problema de falta de amor, comprensión y respeto por parte de mi papá... en vez de arreglar la casa, primero debería arreglar su vida, su matrimonio, creo que haría más.

Me encierro en el cuarto y llamo a Dolly.
-Hola amiguita, cómo estás?
-Muy bien y tú?... Qué te pasa?
-Pues aquí como siempre, problemas con mis papás.
-Y si siempre son así, de qué te preocupas? ya ellos se acostumbraron a vivir de ese modo, ya no van a cambiar.
-Pues sí, tienes razón.

-Sole -así me llama mi amiga- por más que te enojes, ellos van a seguir haciendo lo mismo, ya ves, tanto que le he dicho a mi mamá que no me gusta que me trate con malas palabras y cada vez, es peor.

-Sí, pero esto ya me tiene desesperada, incluso he pensado en...
-No me vas a decir que en irte de la casa.
-No.

-De verdad, he pensado hasta en no vivir más.
-No tonta, no hagas eso.

-Es que dime, para qué vivir en un lugar donde nadie te quiere? donde nadie te escucha, un sitio donde eres la hija de nadie.

-No es cierto, yo te quiero mucho, eres mi mejor amiga.
-Pero eso no es suficiente Dolly.
-Sí yo sé.
-Esta mañana tuve una discusión muy fuerte con mi papá y ni le importó... se fue.
-Se fue de la casa?
-No... ¡ojalá! así fuera, me imagino que se largó para su otra casa: su trabajo.
-Amiga, por qué no nos vemos hoy y rentamos una película.
-No tengo ánimos de nada.
-Ya te pasará, vas a ver.
-Tengo los ojos hinchados de tanto llorar.
-Con un buen maquillaje se te va a tapar.
-No quiero salir, no quiero ver a nadie.
-Ni a mí, ya no soy tu amiga?
-Sí, claro que sí, lo que pasa es que estoy muy confundida.
-Tú sabes que aquí estoy cuando quieras hablar.

-Dolly, creo que llegó mi papá, ya sabes cómo es él cuando me ve hablando por teléfono, se enfurece, más tarde te hablo, bye.

-Bye.

Sentí la voz de mi papá, siempre le he tenido miedo –no respeto, miedo- cuando habla, todo mi cuerpo se siente extraño como si se preparara para algo, para huir o enfrentarse, callar o llorar, no sé cómo hoy tuve la valentía de enfrentarlo, a lo mejor es la edad que me da más valor para hablar como una adulta o quizás, ya le estoy perdiendo el miedo.

-Soledad, Soledad -empezó a gritar-
-Ya voy.
-Por qué no contestas cuando te llamo?
-Porque no tengo un oído biónico para escucharte de lejos.
-Cuidado cómo me contestas porque te va a ir muy mal.
-Son las 11:40 a.m. y todavía sigues echada como una perra en la cama, por qué no haces nada en esta maldita casa?

Su tono de voz siempre me intimidaba, pero esta vez no, su agresividad y dureza para decirme las cosas me estaban llenado de mucho coraje, hastío y deseos de desquitarme, como si estuviera ya cansada de recibir por tantos años, maltratos y abusos de parte de él.

-Y qué quieres que haga? nunca estás aquí en casa y los pocos momentos que pasas con nosotros es para gritar e insultarnos, mejor quédate trabajando todo el tiempo.

Le contesté con un tono desafiante e irrespetuoso a la "autoridad", como si la autoridad se ganara con gritos y golpes. Si algún día entendiera que la autoridad no se impone, se gana... a lo mejor ese día me trataría mejor, como lo que soy: su hija.

-Por qué te atreves a hablarme de ese modo?
-Porque es lo que pienso.
-Crees que porque ya estás en la High School, puedes hacer lo que se te da la gana?
-Piensa lo que quiera.

En ese momento se dirige hacia mí, me toma del brazo y me da un par de palmadas en la cara, dos cachetadas, -que la verdad no me dolieron, lo que más me dolió es que ese día, definitivamente, mi padre había sepultado para siempre el poquito de respeto que aún le tenía- yo lo vi con odio, con mucho coraje, pero no dije nada porque mis hermanitos empezaron a llorar, aferrándose a las piernas de mi mamá... no es justo que un niño de 9 años y otro de 5 estén viendo este espectáculo tan bochornoso: un padre incapaz de dialogar con su hija y que para poderla "controlar" le tiene que pegar, le tiene que herir en su autoestima, para que no aprenda a pensar, para que nunca tenga el derecho de sentir y expresar lo que siente... tal cuál, como lo ha hecho con mi mamá.

-Por qué me pegas? -le grité-

-Porque me da la gana, soy tu papá y me respetas.

-Cómo quieres que te respete, si tú a mí no me respetas.

-Yo te doy de comer y te mantengo.

-Eso no te da ningún derecho de tratarme así.

-Yo soy el que mando en esta casa y si no te gusta, vete de aquí.

-Crees que esa es la manera de educar a un hijo, maltratándolo?

-Así hay que hacer con majaderas como tú.

-Me voy a largar de esta maldita casa.

-Pues vete de una vez, así nos harías un favor.

No entiendo por qué un padre se pone a pelear con un hijo, por qué se ponen al mismo nivel nuestro, si se supone que son los que nos deben "corregir", los que nos deben enseñar a "respetar" y a obedecer, no comprendo por qué quieren hacer valer su autoridad y respeto con golpes... acaso por el sólo hecho de ser Padres de familia, ya no lo tienen?

Mi mamá no decía nada, sólo callaba, la alcance a mirar como si con los ojos le dijera ¡defiéndeme!, pero no hizo nada por hacerle entender a mi padre que estaba equivocado, que aunque era consciente que había sido irrespetuosa, esa no era la forma adecuada de dirigirse a una hija adolescente; eso aumentó más mi coraje, mi rabia, porque me sentía sola, a nadie le importaba mi dolor, mi sufrimiento.

Me senté a llorar en un mueble y mi hermanito menor vino, me abrazó, como queriéndome dar consuelo de algo que no entendía, yo lo abracé, en ese momento el fue mi pañuelo donde pude derramar mis lágrimas.

-Ya no llores más hermanita. –me dijo, lo noté tembloroso con mucha ansiedad-

-Ya estoy bien Angel -así se llama mi hermanito, como el ángel guardián que dicen todos tenemos, pero que el mío no sé dónde está porque no me protege, no me cuida-.

-Ya angelito mío, no llores más.
-No te vayas hermanita, yo te quiero mucho.
-Yo también.
-Tengo miedo, tengo mucho miedo.
-Nada va a pasar, abrázame fuerte.

El niño me abrazó muy fuerte y yo lo tomé entre mis brazos como si fuera mi seguridad y protección en ese momento. Cosa curiosa, con este chiquillo sí siento amor, no sé, despierta en mí como un instinto maternal, siento que soy otra mamá para él; de hecho, desde muy pequeño siempre le cambiaba sus pañales, le daba de comer, lo cuidaba, me inspiraba mucha ternura, mi mamá siempre me delegó esa tarea -su responsabilidad- a mí... en cambio, con mi otro hermanito, el de los 9 años, soy diferente, a él sí lo rechazo, no lo acepto, siempre he peleado con él, desde muy niños hemos tenido una guerra psicológica declarada: él me provoca yo lo agredo, me busca y yo lo rechazo, quiere estar cerca de mí, yo lo ignoro, nunca lo he podido ver como mi hermanito.

Siempre me he preguntado, por qué? qué me ha hecho él para yo tratarlo así, porque a Angel lo amo y a Juan lo rechazo? y culpa de esto es por mis padres, porque él siempre fue el consentido, el protegido de mis papás; en especial, de mi padre, con quien desde muy pequeña he sentido el rechazo –quizás por ser mujer- Siempre le decía a sus amigos que deseaba tener hijos -hombres- para llevarlos al football, a las luchas -que son su pasión- a lo mejor, por eso fue que desde que nació Juan a mí me rechazó más.

Siempre sentí celos de mi hermano, porque lo complacían demasiado, todo lo que quería se lo daban... siempre que peleaba con él, me castigaban a mí y a él no le decían nada; era el favorito, incluso muchas veces me han castigado injustamente porque con solo llorar me reclaman a mí. Por muchos años fui la reina de mi mamá, de mis abuelos, de mis tíos, pero desde que él nació, toda mi vida cambió; por eso, creo que mis padres, en últimas, fueron los responsables de formar estos celos en mí. Quisiera quitar de mí este rechazo hacia él pero no puedo, porque ese niño es exactamente igual a mi padre, se comporta igual que él, trata a mi madre como lo hace él, y lo que más me enoja, es que mi papá no hace nada para corregirlo; al contrario, le parece muy gracioso lo que hace su hijo. Al fin y al cabo, nosotros los hijos somos el reflejo de lo que son los Padres.

-Hija ven a comer -gritó mi mamá-
-No quiero.   -como si con un plato de comida se borraran todos los problemas emocionales-
-Que ven a comer -replicó más fuerte mi padre-
-Ya dije que no quiero.
-Por qué no obedeces? Por qué quieres llevar la contraria a toda hora?
-Por eso es que tu papá te castiga -reforzó mi mamá-
-por qué me quieren obligar? No quiero y ya.
-No le ruegues más a esa estúpida.

Cuando tengo rabia no como, es más no soporto la comida, me dan náuseas y hasta deseos me dan de vomitar, muchas veces me he provocado el vómito, porque me da coraje que quieran llenar con comida los vacíos de mi corazón; que me quieran comprar con ropa de marca, juegos y lujos innecesarios toda esa falta de amor que nunca me han podido dar. Cuando tengo enfrentamientos como éstos con mis padres me dan ganas de no querer vivir más y el no comer es una manera fácil y lenta de hacerlo, porque pienso: "si yo no soy importante para mis padres, para quien lo seré?"

A veces pienso que no valgo nada, que a nadie le importo, que soy un estorbo aquí en mi casa, creo que ellos serían más felices si yo no fuera su hija, porque siempre me recalcan que "yo soy un problema". Jamás voy a olvidar el día que mi mamá me dijo que "lamentaba el día en que me había parido". Por eso, quiero verme fea, quisiera encerrarme en mi habitación y nunca salir de allí, porque a nadie le importo.

Estaba ida en mis pensamientos, evadiendo mis conflictos de autoestima, huyendo de mí misma, -como el loco que a través de su demencia se escapa para no regresar- cuando unos gritos me trajeron de vuelta a mi triste realidad; eran nuevamente mi papá y mi mamá, en una de sus escenas de romanticismo cursi e hipocresía emocional.

-Estás oliendo a alcohol, -habló mi mamá-
-Sí, y a tí qué te importa? -sacó una botella de tequila que tenía guardada en la cocina-
-Otra vez con tu maldito licor, no te da vergüenza de tus hijos?
-Yo en mi casa hago lo que me de la gana.
-Los niños están viendo todo y el día de mañana van a ser unos alcohólicos como tú.
-Que aprendan a ser Hombres como yo.

-Si quieres tomar, hazlo en otro sitio donde los niños no te vean, ¡qué bonito ejemplo el que les estás dando!, seguro que mañana van a estar orgullosos de un papá borrachín.

Le pegó un puño a la mesa, se levantó de la silla y agarró a mi mamá por el cuello, la empujó hacia la pared y como si la estuviera ahorcando, le dijo:

-Esta es mi casa y si no te gusta lárgate de aquí, ya me tienes cansado con tus reclamos, siempre poniéndome a los hijos en mi contra.

-Por qué no aceptas que tienes un problema.
-Sí, mi problema son ustedes, mi esposa y mis hijos.
-Busca ayuda, eres un enfermo -le gritó mamá-

-Cállate estúpida, -sacó un puño y se lo puso en la cara- no me hables así porque me estás haciendo enojar demasiado.

-Idiota por qué me pegas? –y con sus manos rasguñó a mi papá en su espalda-

-Quieres que te reviente la cara delante de tus hijos?
-Hazlo si eres tan hombre.
-Te crees mucho, verdad? a ver cómo te va cuando te quieres igualar a un hombre.

Le pegó otra cachetada. Yo agaché mi cabeza para no ver ese espectáculo tan bochornoso, mis lágrimas empezaron a correr sin parar, lloraba con mucho sentimiento, tenía pesar por mi mamá, recordé todo lo que me había confesado sobre el maltrato de mi abuela, me imaginé lo que estaba sintiendo en ese momento, quise defenderla pero sentí mucho miedo, mi papá con alcohol es muy violento y no quería que mis hermanitos vieran todo esto, quise llevarlos para el cuarto, pero vi que estaban llorando sin parar, quizás con el mismo sentimiento de impotencia y frustración que yo tenía. Odié más a mis papás, a los dos, a él por ser tan cruel e ignorante y a ella por tan sumisa y permitir todo esto -desde la primera vez que sucedió- por no haber hecho nada, aun sabiendo que es más el daño emocional y psicológico el que nos están haciendo, viviendo como viven, sin amarse y sin respetarse, que lo que realmente están haciendo por darnos un buen ejemplo...Vale la pena un hogar así?

-Tú eres la del problema, a toda hora alegando, no puedo estar tranquilo en casa, porque estás encima fastidiándome.

-Imbécil, te odio.

-Tú eres la que estás mal, busca ayuda para tí, para que respetes a tu marido y para que aprendas a criar a tus hijos porque ya veo que ni para eso has servido.

-Papá no le pegues a mi mamá, -dijo Angel-

-Tú no te metas cabrón, que pareces un maricón defendiendo a las viejas.

-No le hables así al niño, -replicó mi madre en un tono fuerte y agresivo-

-Que te calles, tú eres la que estás malcriando a éstos majaderos, te la pasas todo el día aquí, no sé haciendo qué?

-Lárgate, vete de aquí, no te quiero ver.

-Yo soy el que ya no te soporto, no sirves ni como mujer, ni como mamá, no sirves para nada.

Mi papá salió, tiró la puerta y en medio de tanta tristeza sentí una paz, un alivio porque por lo menos unas cuantas horas íbamos a estar solas, sin decirnos nada, sin violentarnos, sin agredirnos... abracé a mi mamá y ella se puso a llorar en mis hombros, sentí compasión nuevamente por ella, se repetía su historia, se volvían a repetir episodios de su triste vida, ayer fueron mis abuelos, hoy era mi papá el que hacía de su vida un calvario. Cuándo será que mi mamá va a romper para siempre ese círculo de dolor? cuando será libre, cuando podrá ser realmente feliz?

Aquí fue donde me dí cuenta perfectamente que ya no era una niña, era una mujer, los "golpes" de la vida -o mejor de mi papá- me habían enseñado a madurar a ver la vida desde otro punto de vista; ya pensaba y sentía como mujer, ya no era la chiquilla que pensaba en muñecas, era la pequeña mujer que empezaba a ver la vida con los ojos de una adulta, lastimosamente, con ojos de coraje, de rabia, de dolor y resentimiento, porque por nada del mundo podía aceptar y entender que mi propio padre nos tratara como lo hacía.

Este episodio de mi vida me diferenció notablemente de otras chicas de mi edad, mientras ellas pensaban en el chico que les gustaba, yo le tenía rabia a los hombres; mientras ellas soñaban con la fiesta del sábado, yo pensaba insistentemente en la necesidad de buscar un trabajo para sacar a mi mamá de este infierno; mientas ellas se divertían, yo lloraba encerrada en un cuarto, sola... porque no quería que nadie en la escuela supiera la triste vida que yo tenía.

Ese día pensé en suicidarme, de hecho lo intenté, me fui llorando para la habitación, me tire por un par de horas en la cama y lloré casi toda la tarde, estaba confundida sin saber qué hacer, un conjunto de emociones encontradas se apoderaban de mí: rabia, impotencia, culpa, pero a la vez, mucha fuerza y ganas de salir adelante, para algún día salir de mi casa, tener un buen trabajo y mucho dinero para así desquitarme de mi papá, para cobrarle todas las que me ha hecho a mí, a mi mamá, a mis hermanitos.

Me invadían muchos sentimientos de venganza, quería darle a mi papá donde más le dolía, pero no sabía cómo... me entró un desespero, me dio muchísima ansiedad, empecé a temblar del coraje, mis manos no podían contener el movimiento, sudaban de tanta rabia que tenía, me fui para el baño y allí encontré un frasco de aspirinas, lo agarré, quise tomarme todas esas pastillas, lo intenté hacer, las tenía en mi mano, alcancé a meter unas en mi boca, pero pensé en mi madre, en su dolor, en las cosas que me había confiado... pensé en ella, por un instante visualicé su rostro, me la imaginé llorando mi funeral y eso me detuvo... no fui capaz de hacerlo, por ella. No era justo que mi madrecita tuviera que vivir otro dolor tan profundo, si yo me iba para siempre de su vida, quién la iba a defender el día de mañana? Aunque quería suicidarme, no tuve la valentía para hacerlo, o quizás sí, pero el amor de mi mamá, me protegió.

Me senté en la tasa del baño y tiré las pastillas al inodoro, sentada lloré sin parar, me dio una crisis de llanto, lloraba sin parar como si nunca en la vida lo hubiera hecho, saqué todo lo que tenía dentro de mí y que no me dejaba vivir en paz. Mi mamá llegó en ese momento, como si el instinto de madre la hubiese puesto en alerta, como si el olfato de mamá hubiese detectado un peligro inminente.

-Soledad, Hija... abra la puerta

Cuando escuché la voz de mi madre, más me ataqué a llorar, me sentí culpable por lo que quise hacer, me sentí mal conmigo misma, porque estuve a un segundo de hacerlo. Estoy completamente segura, que si mi madre no me hubiese compartido todo eso que me dijo, lo hubiera hecho, me hubiera quitado la vida, de eso estoy convencida, fue clave ese diálogo entre madre e hija, esos momentos de expresión de sentimientos son los que hacen que nosotros los hijos nos unamos más a nuestros padres.

-Hija, estás bien?
-Abre la puerta, por favor.
-Soledad, hija, por favor abra la puerta -como si estuviera presintiendo algo-
-No quiero vivir más -grité llorando-
-Hija, no digas eso.
-Me quiero morir.
-Hija -llorando con desespero- No.
-Ya no puedo más, ya no aguanto más.
-Soledad, escúchame...

No sé cómo ni en qué momento mi mamá abrió la puerta, me encontró tirada en el piso con un frasco de aspirinas en la mano y varias pastillas tiradas al lado mío, mamá empezó a gritar como loca, creía que de verdad lo había hecho, me abrió la boca desesperada, se dio cuenta que sólo había sido un intento de suicidio, pero para una madre este episodio es como si realmente lo hubiera hecho, me abrazó y empezó a llorar con mucho sentimiento de culpa, impotencia o coraje quizás.

-Hija, perdóname. -me lo dijo llorando-
-Mamá, ya no lo soporto más.
-Es mi culpa.
-No quiero vivir más aquí mamá.
-Yo soy la culpable por permitir todo esto.
-Perdóname mamá.

-Por qué lo ibas a hacer, por qué me ibas a hacer esto?   -me apretó fuertemente a su pecho- te imaginas cómo sería mi vida si hubieses hecho esto hija?

Me levantó y me llevó a la cama, allí me acosté sin tener conciencia del tiempo, de la realidad, fue un escape, me olvidé de mí misma por unos instantes, me fui a otra realidad en la que quería quedarme, pero sabía que tenía que enfrentar mi mundo, el huir no es la forma de solucionar un conflicto, el evadirme de mí misma jamás me dará la libertad que quiero, porque sé muy bien que algún día seré libre... de mis miedos, de mis inseguridades, de mi coraje, de mis resentimientos.

Me quedé profundamente dormida, como si estuviera narcotizada por mi propio miedo... sé que esa noche mi padre no llegó a la casa, me imagino que estaría desahogando en el licor sus penas y sus problemas: el ser un Hombre frustrado, un Esposo insatisfecho y un Padre fracasado, que buscaba en su esposa y su hija las culpables de su desdicha, los pretextos para seguir arruinando su vida y la de su familia.

Al día siguiente...

Me levanté tardísimo, sin la conciencia de tener claro lo que pasó, lo que viví, el tiempo que pasé sin saber de mí. Había un silencio en la casa, no escuchaba a nadie, sólo mi respiración y mi incertidumbre, que estará sucediendo? Bajé y encontré a mi mamá sola sentada en el comedor, mis hermanitos estaban en la yarda jugando como si nada hubiera pasado -eso es lo que extraño de ser niño, para los adolescentes los problemas no pasan, se quedan y muchas veces, con dolor-

-Hola Hija cómo amaneciste?
-Con mucho dolor de cabeza -contesté-
-Quieres que te prepare algo de desayuno?
-No quiero mamá.
-Debes comer algo hija.
-Y ese señor? -refiriéndome a mi papá-
-Tu papá?
-Sí.
-No vino en toda la noche, no ha aparecido, ni vendrá, quien sabe hasta cuándo.
-Cuando necesite cambiarse de ropa -repliqué-
-Debe estar donde la otra.

-Mi papá tiene otra mujer?
-Supongo, así son los hombres cuando tienen problemas en su casa, con su mujer.

Es increíble que yo pudiera estar hablando con mi mamá de tú a tú, sin sentirme atacada, sin que ella se sintiera amenazada; estábamos hablando como dos amigas, ya no había nada que esconder, se había bajado de ese "trono" de autoridad incoherente y distante en la que estaba -en la que yo la tenía- para hablarme como mujer, estábamos hablando de mujer a mujer, ya no era su niña, era su amiga, su confidente. Esta conversación acrecentó más mi confianza hacía ella, me hizo unir más a su vida... Lo que yo no sabía era si el trato diferente que me estaba dando ahora era por lo del intento de suicidio o era por la edad; es decir, ya estaba comprendido que su hija había dejado de ser niña para convertirse en una mujer.

-Mamá tú quieres a mi papá? –le pregunté-
-No sé hija, estoy confundida.
-Por qué estás con él?, mira cómo te trata.
-La verdad no sé, a lo mejor por ustedes mis hijos.
-Por nosotros? Mamá eso no es una razón.
-Hija, no quiero que pasen necesidades, yo no trabajo y tu papá no nos falta con la comida.
-Pero tú lo amas?

-No hija, no. Tu papá me ha faltado al respeto muchas veces... el amor y la violencia no pueden vivir juntas; además, yo creo que tiene otra, no es la primera vez que esto sucede.

-Por qué has permitido tanto mamá?
-Hija me da miedo dejarlo, qué voy a hacer? No sé trabajar, nunca he trabajado.
-Y tú prefieres aguantar todo este maltrato?
-Hija, no tengo otra alternativa.
-Claro que sí hay alternativas mamá.
-Si me separo de él, de qué vamos a vivir?
-Así me toque trabajar mamá, lo haré.

-Cómo van a crecer mis hijos, sin un papá que los corrija? A lo mejor nunca me lo perdonarían, crecerían traumatizados por la falta de su padre.

-Mamá no te parece que estamos más traumatizados con la forma como nos trata y cómo vemos que te trata a tí?

-Me da miedo que me quite a los niños.

-El es un alcohólico, no se puede cuidar él mismo mucho menos va a cuidar de sus hijos.

-Además, para dónde nos iríamos? esta es nuestra casa, mira como es de linda, si nos vamos de aquí tendríamos que vivir en una pieza todos juntos.

-Mamá yo prefiero eso a este infierno en el que vivimos. Piensa, de qué me sirve vivir en una casa bonita si no hay amor; de qué vale que me den de comer y vestir si no me dan Ejemplo de vida. Yo quiero una familia ejemplar, viendo unos papás que se aman, que se respetan, no importa que seamos muy pobres o que no tengamos qué comer... prefiero un pedazo de pan pero vivir en paz y tener un hogar feliz, donde mis hermanitos y yo nos sintamos felices.

-Tengo mucho miedo hija -me abrazó llorando-

-Pero yo no quiero vivir así mamá, aparentando lo que no somos, lo que no vivimos, una "familia" que aparenta ser feliz porque tienen una casa bonita, un carro del año, unos mubles lujosos, como si eso fuera la felicidad. Mamá yo nunca cambiaría mi felicidad por la comodidad, para mí es más importante mi vida, la vida de mis hijos, que unos cuantos ladrillos... no te parece tonto vivir en una casa donde no tienes hogar? qué importa tener tantos lujos si no eres feliz, qué ganas con "sostener" un matrimonio donde ni tú ni papá, ni nosotros tus hijos somos felices, qué sentido tiene esto mamá?

-Mamá, hasta cuándo vas a permitir que mi papá te siga pisoteando? No es cuestión de mantener una relación por mantenerla, es cuestión de dignidad, conoces esa palabra?

-Hijita, te entiendo pero no sé qué hacer.
-Mamá, vámonos a vivir juntas, sepárate de papá.
-y tus hermanos?
-Ellos lo van a entender.

-Yo sé que es difícil para tí, pero mamá, piénsalo, algún día vas a tener que llegar a esta decisión y espero que cuando lo decidas ya no sea demasiado tarde.

-Lo sé -sus lágrimas no terminaban de salir-
-¡Ojalá! que no tengas que esperar a que uno de tus hijos se suicide o que esté en drogas o en pandillas, para que tú quieras tomar acción, porque a lo mejor, ya va a ser muy tarde mamá

-No digas eso hija.
-Mamá, es la verdad. Muchos de mis amigos en la escuela que tienen problemas de drogas o pandillas, viven en hogares como el nuestro, por eso te lo digo.

No podía creer que le pudiera estar hablando a mi madre con tanto sentimiento y madurez como lo estaba haciendo en ese momento, sentía que era mucho más madura y coherente con la vida que mi propia mamá.
En ese momento se confundieron los papeles: era yo la que sabía lo que quería, lo que anhelaba en la vida... mi madre no, ella parecía la chica indefensa que necesitaba que la guiaran, que la corrigieran, que la orientaran a

tomar una decisión sana e inteligente -como muchas veces ella lo hizo conmigo- Ahora, era la hija la que le aportaba a mamá para que su vida cambiara, para que su vida fuera mejor.

-Disculpa que te hable así como te estoy hablando.
-No hija, no... me gusta oír todo lo que dices.

-Mamá, ya no soy una niña, entiende; soy una mujercita que aunque le falta muchísimo por vivir he madurado lo suficiente... la vida, los amigos, la escuela, la sociedad, la forma cómo vivimos en casa me ha enseñado a ver la vida con otro punto de vista muy diferente al tuyo.

-Lo sé hija.
-Por eso, es que a veces no nos entendemos.

-Mami, este país, esta cultura es totalmente diferente al mundo donde tú te criaste, tenemos valores muy diferentes.

-Sí hija... Sabes, mi mamá nunca me habló como amiga y yo jamás me atreví a expresarle a ella lo que sentía, me daba pánico que me pegara, le tenía mucho miedo.

-Mamá no quiero que sufras más.

-Cuando conocí a tu padre vi en él la oportunidad de salir de la casa, me casé a muy temprana edad, tenía 16 años cuando me fui a escondidas con él, creí que iba a ser diferente, tan sólo llevábamos 15 días de conocernos pero creía que me amaba de verdad, me decía tantas cosas lindas, me prometió tantas cosas que no dudé en ningún momento que eso iba a ser así. Además, igual daba, sólo tenía dos opciones: o irme con él o seguir viviendo esa vida cruel que llevaba, yo escogí la más fácil... y ya ves, la historia se repite, exactamente lo mismo que estoy viviendo ahora.

-Sólo que ahora tienes que tomar la decisión más inteligente mamá.
-Cuál?

-La que menos daño te haga, pero no te vas a quedar aquí por miedo o por nosotros tus hijos. Ya es hora que seas feliz.

-Hija, yo te veo muy segura.

-Así es mamá, hay situaciones en la vida que tú no puedes permitir y una de ellas, es que te pisoteen, que te maltraten, así sea tu pareja.

-Nunca te había escuchado hablar así, me sorprendes y me haces sentir orgullosa de tí.

-Hay muchas cosas que tú no sabes de mí.

-Eso me doy cuenta.

Quería decirle tantas cosas, deseaba que saliera de ese círculo doloroso en el que por muchos años había estado, quería motivarla a ver la vida con otros horizontes, con otras expectativas, quería que soñara, que fuera la adolescente que la vida una vez le negó ser, anhelaba que se sintiera especial, amada, que alguna vez en la vida fuera esa chiquilla con ilusiones, con esos sueños que sus padres una vez castraron, por ignorancia o estupidez.

-Mamá, mírate a un espejo, observa lo hermosa que eres, tienes una cara muy linda, un cuerpo muy bonito; mamá, eres bella.

Ese día hice algo que yo siempre quise hacer con ella: peinarla, maquillarla, soñar juntas a ser adolescentes, quizás ella también lo deseaba, quería cobrarle a la vida ese tiempo que no le permitió vivir por estar "casada", quería sentirse la joven que se estaba negando ser, quería ser la mujer deseada, provocativa y sensual que los insultos y humillaciones de mi padre habían sepultado para siempre... era bella, realmente mi madre era muy bella, lo que pasa es que su pobre autoestima la había relegado a estar detrás de un delantal de ama de casa. Ese día me sentí orgullosa de ella, sabía que con un poco de Autoestima, de creer en ella misma y un poquito de valoración positiva, mi mamá iba a ser nuevamente la mujer hermosa que de niña yo anhelaba ver.

-Hija prométeme -me sorprendió- que jamás en la vida tú vas a cometer la misma estupidez que yo hice: irte a vivir con un hombre por escapar de los problemas de la casa.

-Te lo prometo, mamá.
-Eso es lo que me da miedo de tí.

-Mamá, te prometo que jamás en la vida yo voy a tomar una decisión de la cual el día de mañana me tenga que arrepentir -se lo dije tan convencida y tan llena de coraje que algunas lágrimas brotaron de mi interior, como si yo misma me estuviera retando a hacerlo-

-¡Que bien hija!

-Te prometo mamá que voy a estudiar, voy a ser la mejor en la escuela para demostrarle a mi papá que yo no soy la estúpida que él cree que soy, voy a enseñarle que para corregir y educar a un hijo no se necesita maltratarlo y herirlo, sólo basta creer en él, darle amor y respeto... vas a ver que el día de mañana te voy a dar una vida de reina mamá y vas a ver cómo se va a sentir él cuando vea que la hija que tanto maltrató, se va a convertir en su orgullo, en su motivación.

Lo dije con tanta rabia, que ese momento se convirtió para mí en un juramento, en un pacto que yo había hecho conmigo misma, promesa que jamás quería quebrantar porque si eso sucedía, sería defraudarme a mí misma y eso no lo podía permitir.

-Te prometo mamá que a partir de hoy seré tu orgullo.

-Te amo mucho hijita.

-No importa lo que decidas mamá, siempre estaré apoyándote. No importa si te equivocas, aquí estaré contigo para que juntas nos volvamos a levantar.

Seis meses después...

Los padres de Soledad se divorciaron, su papá ya tenía otra relación con una mujer más joven que su mamá; luego de tantas discusiones, él se fue a vivir con ella.

Su mamá -gracias a una amiga suya- empezó a trabajar vendiendo productos de belleza, lo que facilitó que su presentación personal; su forma de vestir, su porte y actitud mejoraran significativamente, pronto se convirtió en una excelente vendedora y, poco a poco, su autoestima y liderazgo empezaron a fortificarse. En realidad era una mujer muy bella, pero las humillaciones y chantajes emocionales de su expareja le habían enseñado a creer que su único mundo era atenderlo a él y a sus hijos...

Pero su gran motivadora, su hija, le enseñó a creer en sí misma, le ayudó a vencer sus miedos e inseguridades, tanto que Esperanza -el nombre de su mamá y quizás por eso se llama así, porque su nombre representa que sí hay un mejor mañana para el que decide cambiar- se convirtió en la mejor vendedora de esa compañía en tan sólo meses, ganándose lo suficiente para ella vivir plenamente cómoda con sus hijos y con su princesa, la mujercita rebelde y retadora que una vez en una conversación entre madre e hija le enseñó que lo importante no era vivir bien, sino saber vivir... y que lo más significativo para un hijo no eran las cosas materiales, sino el ejemplo de vida que sus padres les den.

Ahora, Esperanza es otra mujer, llena de vida y de gozo, trabajadora, maneja su propio tiempo y lo más impactante aún, la calidad de vida que le brinda a sus hijos es totalmente diferente; en su casa ya no se escuchan gritos, insultos, en su hogar ya no hay daños emocionales porque el estar sola le facilitó el convivir con sus hijos, a delegarles responsabilidades y lo más valioso, les enseñó a vivir con lo necesario, sin lujos, pero felices. Ahora reina la paz, mamá e hija se convirtieron en grandes amigas, pues Soledad le ayuda en el negocio, ambas comparten los logros y los fracasos, las dos se han convertido en un equipo, una relación donde las dos se aman y se necesitan.

Esperanza:

Es increíble cómo muchas personas arruinan su vida por no tomar una decisión a tiempo, yo tenía mucho miedo de hacerlo, aún sabiendo que no era feliz, que le estaba haciendo mucho daño psicológico a mis hijos; en la realidad, es más el miedo, las inseguridades que nosotros mismos nos creamos, que los obstáculos reales que hay allá afuera en tu mundo. Es esa baja autoestima, esa falsas creencias a cerca de ti mismo, las programaciones mentales y emocionales que nos han hecho nuestros padres desde pequeños: "eres un tonto", "no sirves para nada"… "el matrimonio es para toda la vida"
-Sí, es cierto; el matrimonio debe ser para toda la vida, pero aquel donde reine el Amor, el Respeto, la Dignidad, la Paz, la Confianza y el compromiso… porque cuando esto no sucede, es un pretexto- el maltrato y las experiencias difíciles de la vida son las que nos enseñan a pensar como víctimas, como "pobrecitos" a los que se les debe tener lástima y pesar por sus desgracias.

Pero no, el tomar esta decisión de rescatar mi dignidad me ayudó a creer en mí misma, a que yo valgo como persona, como mujer, como mamá… y lo más impactante aún, me ayudó a descubrir algo: que las limitaciones e impedimentos del ser humano no están afuera en su mundo, en su familia, en su pasado, en su trabajo, en su relación de pareja... simplemente, están en su mente. Por eso, decidí más que luchar por salvar mi matrimonio, luché por salvar mi vida, la dignidad de mis hijos.

Soledad:

Estoy muy orgullosa de mi mamá, me siento feliz el verla ahora como está, la veo segura de sí misma, con un poder de convencimiento impresionante, con una autoestima poderosa, tiene una mentalidad de campeona, ya no es la víctima que estaba resignada a "sobrevivir" y a soportar el paso del tiempo sobre su rostro... la veo como siempre la soñé, una mujer valiente y emprendedora con mucho qué enseñar y aportar a su hijita que quiere seguir sus mismos pasos, porque no hay duda que es el EJEMPLO lo que realmente educa a un hijo, ojalá todos los padres de familia algún día lo entendieran.

Ahora mi madre y yo somos muy buenas amigas, ella me cuenta sus tristezas y alegrías y yo le comparto mis sueños, mis temores; con ella puedo hablar -ahora sí- sin sentirme juzgada o criticada, las dos reímos y las dos lloramos, hemos llegado a ser lo que todos los hijos siempre deseamos tener en la vida: una relación de amistad estrecha y profunda con nuestros padres.

Hoy puedo decir que soy una adolescente feliz, eso no significa que no tenga mis diferencias con mi madre, claro que sí, a veces discutimos y nos enojamos, pero es diferente la manera cómo nos reconciliamos, porque siento su amor, su comprensión; sobretodo, que a ella no se le olvida por la edad que estoy pasando. Me siento feliz, porque mi madre además de ser mi guía, mi tutora, -que me exige y me corrige cuando tiene que hacerlo-

...Es mi amiga cuando me siento sola,
mi consejera cuando estoy confundida,
mi cómplice cuando quiero soñar,
mi maestra cuando quiero aprender,
porque siempre que la busco, encuentro en ella
sus manos vacías para atenderme...
y créanme que sólo esto me hace
MUY FELIZ.

Capítulo 2

NO, GRACIAS…
PREFIERO ESTUDIAR

Sobre las Presiones y el Carácter

Inicio del año escolar.

Todos los chicos llegamos a la escuela, algunos son nuevos, pero la mayoría son conocidos o por lo menos los he visto en algún momento, han estado conmigo en varias clases pero ni siquiera les conozco su nombre. El ambiente de la High School es bien complicado, parece que estuviéramos divididos por razas: los Morenos, los Asiáticos, los Blancos, los Arabes y nosotros los Latinos, los que supuestamente las estadísticas dicen que tenemos los porcentajes más altos de abandono escolar, violencia familiar, alcoholismo, drogadicción y embarazos a temprana edad entre los adolescentes. Por eso, ser joven en un país como este no es fácil, el enfrentarnos, día a día, con otras culturas, otros valores, formas de ver la vida, genera confusión con nosotros mismos, con nuestra cultura, con nuestros padres.

-Hola Sol.
-Como estás? Te ves muy bien. -la abracé muy fuerte, era mi gran amiga Dolly-
-Y tú, cómo estás?
-Muy bien, ya con ganas de volver a la escuela.
-Tanto tiempo en la casa es aburrido, verdad?
-Ya me hacía falta estar aquí, además es nuestro último año, ya quiero salir rápido.

-Por qué tanta prisa? Si apenas es nuestro primer día de clases.

-Mira quién viene? es Zoraida -las amigas de confianza le decimos Zorraída, ya se imaginarán por qué? (por la vida emocional y sexual tan desordenada que lleva y tan sólo tiene 17 años).

-Hola amigas, que alegría verlas de nuevo.
-Cómo estás? -pregunté yo-
-Pues ahí, pelee con Luís -su novio de turno-ya no me volvió a llamar.
-Sí ves, así son los hombres -replicó Dolly-cuando consiguen lo que quieren, ya no regresan más. Jajajajaja -reímos todas-
-Y lo querías? -cuestioné-
-Pues ya me estaba acostumbrando a él.
-No, una cosa es que lo quieras y otra es que estés acostumbrada a él.
-Sí, es cierto. La verdad ni yo, a veces, sé lo que quiero.
-A veces? jajajajajajajajaja -reímos las tres-
-Todo el tiempo.

No podía creer que una chica tan linda y hermosa como ella, tan de buena familia estuviera tan confundida en la vida, conocía muy bien a sus padres, ella en su casa no tenía los problemas de violencia y maltrato que yo vivía con los míos; al contrario, la cuidan demasiado, la sobreprotegen, el problema es que la controlan tanto que no la dejan ser ella misma, a toda hora la mantienen vigilando como si fuera una prisionera, la tienen asfixiada; quizá por eso es que esta joven es así, como si el venir a la escuela se convirtiera para ella en el único momento donde halla la libertad, el espacio que necesita para poder pensar y ser como quiere ser. -eso es lo que me parece tonto de los padres controladores, no se dan cuenta que si a un adolescente se le da la gana de hacer algo, lo hace, aún delante de ellos, sin que se den cuenta... el problema es que en últimas los perjudicados vamos a ser nosotros.

-Con cuáles maestros te tocó este año? -le pregunté a Dolly-
-Otra vez con el morboso de Mr. Kelvin y la vieja histérica de Mrs. Jackson.
-Y a ti?
-Me tocó con Mrs. Sophia, me encanta esa maestra, porque es muy exigente pero a la vez es muy dulce y nos sabe llegar, sabe cómo hablarnos, lo que más me llama la atención de ella, es que nos reta, cree en nosotros los jóvenes y es muy firme en sus creencias y valores.

-Pero a veces se le va la mano. -replicó Zoraida-
-No, lo que pasa es que tiene que ser así. -dijo Dolly-
-Te imaginas siendo bien blanda en esta escuela, nos la tragamos viva, jajajajajajajaja.

-Bueno amigas, las dejo, voy a buscar mi clase, nos vemos más tarde -se despidió Zoraida-
-Ok, te cuidas.
-Te puedo decir algo sin que te molestes? -me abordó Dolly-
-Seguro. -contesté-
-No sé, llegaste muy rara, ya no te siento igual.
-Por qué lo dices?
-A veces dices cosas que no pensabas antes.
-Como qué?

-Dices que quieres terminar la escuela rápido, antes ni querías venir a clases, nos escapábamos para las tiendas.

-Bueno, a lo mejor he madurado un poco más.
-Sí, pero si así vas a seguir, vas a ser muy aburrida, me tocará buscar otras amigas.
-No es malo pensar así.
-Te van a rechazar, las demás se van a reír de ti, vas a ver...
-Pero por qué, si así soy yo.
-Bye, de todos modos, piénsalo.
-Bye, te cuidas.

Por primera vez no me sentí presionada a hacer lo que mis amigas hacían, sentí que era yo misma, no me importó su comentario, antes sí me preocupaba muchísimo que me rechazaran, que no me aceptaran y en muchas ocasiones hice cosas para obtener su aprobación, su amistad... varias veces me convertía como en una marioneta que se dejaba manipular por los comentarios estúpidos de mis amigas y sólo, para que me aceptaran.

Ese era el precio que tenía que pagar; hacer lo que ellas dijeran para sentirme aceptada dentro del círculo de amigas "rebeldes" y "populares" de la escuela que están a la moda, porque no asisten a clases, porque no tienen sueños en la vida, porque se rebelan a la autoridad de los maestros y de los padres y más que todo porque ven la vida como algo superficial y sin sentido donde lo único que importa es divertirse sin ningún tipo de responsabilidad.

Sí, yo también me sentía diferente, me sentía segura de mí misma, de lo que quería en la vida, hoy más que nunca estaba decidida a continuar la escuela, quería aprender, y exprimir la sabiduría de cada maestro... no me importaba en absoluto si mis amigas me iban a rechazar por esto o no. Antes venía a clases por que me tocaba, porque era una obligación para mí, porque no podía quedarme en casa sin hacer nada, ahora el estar en la escuela, se había convertido en una necesidad.

De verdad, me dio muchísima alegría el saber que Mrs. Sophia iba a ser mi maestra, la admiraba mucho, la respetaba y para mí era un gran ejemplo -los adolescentes necesitamos modelos de superación personal y ella sin darse cuenta se había convertido para mí en eso-

Como su nombre lo indica ella era sabiduría (el nombre Sofía proviene del griego Sophos que significa Sabiduría) eso ella era para mí, una señora muy sabia y ejemplar, que más que enseñar conocimientos, enseñaba valores, ilusiones, ganas de vivir, pues era un ejemplo de vida para nosotros los adolescentes que no vemos en nuestros padres, esos modelos de vida que tanto necesitamos tener.

En ella se reflejaba la clara diferencia entre ser Profesor y ser Maestro, ella era una maestra en todo el sentido de la palabra, porque era una persona íntegra, todas sus acciones mostraban integridad. A lo mejor ella era el prototipo de mamá que yo siempre visualicé: una mujer digna, elegante, hermosa, fina, pero con los límites muy claros, sí esa era la palabra clave, ella sabía colocar muy bien sus límites de respeto no sólo con sus alumnos, también con sus compañeros y demás personas, ella era una autoridad moral para mí, tenía el poder -yo se lo di- para corregirme, para guiarme, incluso para regañarme. No podía creer que le tenía más sentido de respeto a esa maestra que a mis propios padres... definitivamente la autoridad no se impone, se gana.

-Mrs. Sophia, me da mucho gusto saludarla.
-Cómo estás señorita, que tal las vacaciones?
-Muy bien, ya tenía muchas ganas de regresar.
-Y por qué?

-Ya estaba aburrida en la casa.

-No saliste a pasear a ningún lado?

-No, estamos muy mal de dinero en la casa.

-Entiendo… pero quién dijo que para divertirte necesitas dinero?

-No entiendo.

-Sí, cuéntame qué hiciste en todos éstos días?

-Me levantaba bien tarde, le ayudaba a mi mamá con los quehaceres de la casa, veía televisión, con algunas amigas de vez en cuando rentábamos una película… bueno y trabajé algunos fines de semana en una tienda.

-Bueno así, cualquiera se aburre.

-Por qué dices eso?

-Porque todo depende de tu actitud.

-Explícame.

-Mira yo soy más viejita que tú, yo tampoco salí de paseo a ningún lugar, me quedé en casa, pero todos los días en la mañana salía temprano a hacer ejercicios, llegaba y me daba un buen baño, tomaba un café, arreglaba la casa, hacía un buen almuerzo, me leía un buen libro, iba a la biblioteca, con algunas amistades fuimos a los museos, a caminar, por las tardes estaba de voluntaria en mi iglesia ayudando con clases de Inglés, hacía algo productivo… créeme que nunca me deprimo y vivo sola. Ya todos mis hijos se casaron y mi esposo murió hace 6 años, pero soy feliz conmigo misma, con lo que tengo. Para mí, eso es lo más importante ¡estar bien conmigo misma!

-Wow... No vives con nadie?
-No.
-Y no te hace falta la compañía de alguien?
-Claro que sí, pero yo disfruto el estar sola, porque me siento plena conmigo misma.
-No te deprimes?

-La depresión es un estado mental que tú puedes controlar, yo controlo mis emociones, yo decido el tipo de vida que quiero para mí, nadie lo decide por mí.

-Genial, nunca había escuchado esto.

-Dime si no es cierto. Así como tú decides quiénes son tus amigas, así mismo tú puedes decidir qué quieres hacer con tu vida, o no?

-Sí, es cierto, la vida entera es una decisión.

-Si tú quieres arruinar tu vida con una mala decisión, lo puedes hacer... pero también tú eres la única que puedes decidir si quieres construir una vida llena de logros y satisfacciones; de nadie depende, sólo de tí.

-Estoy de acuerdo contigo maestra.
-Más te vale. Jajajajajajaja -reímos las dos-
-Por eso te digo que es cuestión de Actitud.
-Actitud?

-Sí, tus padres te podrán dar todas las facilidades para que vengas a la escuela, pero

nunca te podrán dar lo que realmente tú necesitas: las ganas para superarte, eso sólo te corresponde a ti, o no?
-Sí, es verdad.

-Es lo que sucede con muchas de tus amigas, sólo vienen a la escuela porque les toca pero no vienen con esas ganas de querer ser mejores; no ven más allá, no visualizan un futuro, un mañana mejor, sólo se conforman con vivir del día, con pasarla bien, creen que van a ser adolescentes toda la vida.

-Sí. Y la vida no es así.

-Por eso te digo, es cuestión de actitud. Los padres en vez de comprarles tantas cosas a sus hijos, deberían enseñarles a valorar lo que con tanto sacrificio traen a casa, deberían enseñarles que no todo en la vida se puede conseguir y para eso hay que sacrificarse, exigirse, luchar... porque si no, caemos en la tentación de vivir en la mediocridad.

-Qué es eso de mediocridad?

-Que se conforman con lo mínimo... para qué exigirnos si mis padres todo me lo dan, -aún después de casados- para qué asumir retos si es más fácil llevar una vida cómoda y sin complicaciones; para qué estudiar 5 años en una universidad si con un curso de 6 meses es suficiente para tener un trabajo. Y se acostumbran a pensar así... es mas divertido ir a una fiesta que pasar horas leyendo un libro. El día de mañana éstos jóvenes son los que consiguen un trabajito para "sobrevivir", para comprar la ropa de marca, los tenis de moda, porque el resto "mis papás me lo dan". Pero aquí no es cuestión de supervivencia, es cuestión de superación personal, de autoestima, de mostrarnos a nosotros mismos lo mucho que podemos hacer por mejorar.

-Que interesante maestra.
-Pero ya tendremos más tiempo para hablar de esto con más detalle.
-Seguro.
-Ok. Te tengo que dejar, nos vemos más tarde.
-Claro que sí.
-Bye, Soledad.
-Bye, Mrs. Sophia.

Siempre que hablo con esta maestra quedo pensativa, cuestionada, sus palabras llegan a mí como si estuviera adivinando lo que estoy viviendo, lo que pienso y anhelo en la vida. Sin duda, sus comentarios son cuestionamientos profundos a mi vida, a mí misma, porque hacen parte de esa búsqueda de mi identidad, de mi papel y misión en la vida, el por qué estoy aquí ocupando un lugar y un espacio en esta tierra...son un interrogante a la eterna evasiva del quién soy yo?

-Hola soledad,

-Cómo estás Juan? -Don Juan le digo yo-
-Bien y tú... tiempo sin verte.
-Igual te digo, qué haces?
-Aquí, pasando el tiempo.
-Ya casi no vienes a la escuela.

-Sí, es que la verdad no me gusta estudiar, odio venir a la escuela, prefiero estar trabajando, gano más que estando aquí.

-Pero eso es por unos años mientras te preparas y luego podrás ganar más.

-Es lo que dice mi papá, pero yo prefiero trabajar para comprar la ropa que me gusta, los cd's y videojuegos que tanto me fascinan; además, estoy ahorrando para comprarme un carro. La verdad estudiar es aburrido, para tí no?

-A veces, pero yo no pienso así.
-Por qué no?

-Porque yo quiero tener un mejor futuro, quiero ganar buen dinero el día de mañana y para eso tengo que ir a una universidad.

-Universidad?
-Sí, qué le ves de malo?

-No. Nada, lo que pasa es que todos mis amigos visten bien... y para serte sincero las chicas sólo se fijan en los chicos que tengan carro.

-Y?

-Pues que yo también quiero tener mi buena chica y para eso hay que tener dinero.

-Ay Juan, tú no cambias.

-Qué tiene de malo, quiero una chica con muy buenos melones, con un cu.... bien redondito, una cinturita delgadita y ya sabes que le guste la diversión.

-Qué tipo de diversión?

-Tú sabes, no te hagas la que no entiendes.

-Desde que te conozco te he conocido más de 20 novias y a ninguna quieres.

-Para eso es que nacimos, para gozar.

-Definitivamente, no se puede confiar en los hombres. Jajajajajajajaja -reímos-

-Oye, cuando salimos tú y yo.

-Ni lo pienses.

-Por qué no?, No te gusto?

-No. Lo que pasa es que a mí me gustan los chicos maduros, interesantes, que tengan de qué hablar... contigo me siento como si estuviera perdiendo el tiempo.

-Uy, sabelotoda, ¡qué haremos con tanta perfección!

-No es eso, lo que pasa es que tengo muy claro lo que quiero.

-Y qué quieres?

-Ya te dije, estudiar.

-Sí, pero no te vas amargar la vida porque tienes que estudiar a toda hora.

-Claro que no, la verdad es que me aburre estar escuchando conversaciones tan vacías.

-Entonces no te gusto.

-No.

-Eres la primera chica de esta escuela que me rechaza.

-Siempre hay una primera vez.

-Algún día vas a ser mía, lo vas a ver.

-Sueñe. Jajajaja -me reí de él-

-Ninguna mujer me desprecia.

-Pues me doy el lujo de llevarme ese título.

-Lástima, tan bonita pero tan amargada.

-Piensa lo que quieras.

-Por qué no eres como tus otras amigas? ellas sí son nice, les gusta la diversión y las buenas amistades, tú sabes.

-Porque yo soy yo y basta.

-Pareces una monja.

-Sabes qué, por qué no maduras? Adiós.

-Uf… ¡qué geniecito el que tienes! por eso, es que ningún chico se fija en tí.

-No me importa.   -le contesté fastidiada-

Definitivamente, mi forma de pensar ya no es la misma, me siento diferente a mis amigos, algo está sucediendo dentro de mí, siento que nadie me comprende, que no entienden mi forma de ver la vida, como si el tener sueños e ideales fuera un error para una joven de 17 años, como si lo normal a esta edad fuera no pensar, no soñar, no tener aspiraciones.

Siento que ya no encajo en este estilo de vida, mis amigas sólo respiran, comen, duermen, viven... pero yo no sólo quiero conformarme con vivir, quiero existir, dejar una huella en este mundo, que valga la pena el por qué y el para qué estoy aquí.

Me siento sola, cada vez más, siento que me rechazan por mi forma de hablar, estoy desconectada, no me hallo, las conversaciones de los chicos de mi edad me parecen tontas, huecas; a mis amigas sólo les preocupa vestir bien, agradarles a los chicos, ir a las fiestas, el maquillaje, las canciones de moda, etc. En vez de pensar en qué carrera universitaria elegir, cómo hacer para pagar sus estudios, cosas que de verdad sí valen la pena. A los muchachos sólo les gusta salir con las chicas "fáciles", las que se prestan para sus ratitos de diversión, las que creen que dejándose tocar y servir de juguetes de pasión por unas horas van a conseguir la popularidad y el reconocimiento de los chicos más experimentados de la escuela. ¡Qué estúpido! pero tristemente muchas de mis amigas piensan así. Y las que no nos prestamos para esos jueguitos nos llaman amargadas, anticuadas, jurasicas, destinadas a quedarnos solas para toda la vida... Pero no me importa, yo valgo mucho para dejarme usar por alguien.

Semanas despues...
-Hola Esmeralda   -es una chica muy valiosa, con muchos talentos, pero muy confundida-
-Hola Soledad.
-Vas a ir a la fiesta de la Escuela?
-Sí claro. Y tú?
-La verdad no me siento muy motivada.
-Por qué?
-Todos van a ir con sus novios y yo no tengo.
-Te consigo uno para el fin de semana.
-jajajajajaja. Como si fuera así de fácil.
-Tengo varios amigos, le puedo decir a alguien para que venga contigo.
-No sé, no me suena la idea.
-Va a estar muy buena, el DJ es buenísimo.
-Mira, ahí viene Dolly, Zoraida y Lupita.
-Hola Amigas. -saludó Lupita-

-Soledad, tiempo sin hablar contigo, como ya te la pasas en la biblioteca, te alejaste de nosotras, -dijo Dolly-

-No es eso. -preguntó Lupita-
-Vas a ir a la fiesta mañana?
-De eso estábamos hablando.

-Uy, no te la pierdas, van a ir unos papasitos ricos, amigos míos −contestó Zoraida- están bien buenos.

-Quiénes? -preguntó Esmeralda-
-Beto, Andrew, Sam.

-Andrew? -replicó Esmeralda- me fascina, ya he estado con él varias veces, es buenísimo en la cama.

-Qué tal lo hace? -preguntó Dolly-

-Yo siempre le he tenido unas ganas y si me da la oportunidad, me lo devoro. -dijo Zoraida-

-Lástima que está saliendo con la zorra de Katherine. -repuso Dolly-

-No me importa si va acompañado o no, me le lanzo   -jajajajajajajja reímos todas-

-Vas a ir amiguita? -me volvieron a preguntar en un tono burlesco e incrédulo-

-Lo voy a pensar.

-Vamos Sol -no te amargues la vida tan joven-

-Bueno chicas, las dejo, tengo cosas qué hacer.

-No me digas que tienes que ir a estudiar.

-jajajajajajajaja -rieron las demás-

-Más tarde te llamo Dolly. Bye a todas.

-Bye.

No podía creer que mis amigas estuvieran hablando así, me sentí incómoda, pero la verdad no quería pasar por pesada y amargada, me dejé llevar por sus comentarios, me involucré en su diálogo como queriendo un poco de aceptación, el rechazo duele mucho y no quería experimentarlo nuevamente. Quería que entendieran que soy como ellas, que tengo su misma edad, que me gusta hacer lo mismo que ellas hacen, que me identifico con su estilo de vida, sólo para que no piensen mal de mí, aunque la verdad me parecía horrendo todo lo que escuchaba, como si el acostarse con un chico fuera un triunfo, un motivo para que te admiren más… esos no son mis valores, eso no es lo que yo pienso del ser mujer.

Esa noche llegué a la casa un poco confusa, afortunadamente la relación con mi madre ahora era muy buena, pude conversar con ella sobre las cosas que me estaban pasando, le expresé que me sentía presionada, aunque nadie me estaba obligando a hacer lo que yo no quería, era yo misma la que me estaba acosando para que actuara como ellas, aún sin sentirme bien conmigo misma; ese es el precio que chicas como yo, tenemos que pagar cuando queremos tener la aceptación y el aprecio de nuestras mejores "amigas".

-Hija, te pasa algo?
-No, mamá, todo está bien.
-Te noto un poco distraída y callada.
-Mamá, puedo ir mañana a la fiesta de la que te había hablado antes?
-Quieres ir?
-La verdad no me siento motivada.
-Y por qué?
- No sé mami, mis amigas son tan locas que no me siento bien saliendo con ellas; además no tengo con quien ir.
-Por eso no te preocupes, sabiendo como eres de bonita, te va a sobrar con quien bailar.
-De verdad mami, tú crees que soy bonita?

-Por qué me preguntas eso hija? Claro que sí.
-Es que me siento fea, cuando me dicen que soy bonita, siento como si me estuvieran hablando con hipocresía.

-No hija, tú eres muy bella y no te lo digo porque seas mi hija, tú eres muy bonita.

-Mamá, yo quisiera ser como mis amigas, ellas sí tienen muchos amigos, mantienen en fiestas, sus amigos siempre las invitan a salir... y mírame a mí, mantengo sola, ni amigos tengo.

-Y te sientes mal por eso?

-Sí mamá, me siento muy sola, siento que todo el mundo me rechaza, como si a los chicos les pareciera aburrido hablar con alguien como yo.

-Por qué dices eso?

-No sé mamá, siempre que hablo con los chicos de mi edad, siento que no se identifican conmigo, como si les pareciera extraño todo lo que pienso, lo que digo y a mí la verdad, prefiero leer un libro que perder el tiempo hablando babosadas.

-Jajajajajjaja así era yo cuando tenía tu edad.
-Es normal esto?

-Hija, yo también viví lo que estás diciendo, cuando uno llega a la adolescencia le pasa todo esto; son comunes las crisis a esta edad.

-Sí, pero mis amigas también son adolescentes y no son como yo.

-Soledad, tienes problemas de autoestima, tú no tienes por qué estar comparándote con otras chicas, todas somos diferentes, lo que pasa es que a lo mejor ellas no tienen la misma madurez que tú tienes.

-Madurez?

-Sí, te voy a compartir algo que siempre mi abuela Luz decía -ella era una luz para la obscuridad, su presencia reflejaba tanta sabiduría, que era imposible no atender sus concejos- "Cada vez que tú tengas una crisis en la vida, es porque tu mente está madurando", ella decía que cuando nos sentíamos solos y desconectados de la vida, es porque nuestro espíritu estaba pasando a un nivel superior de conocimiento.

-Tú crees que soy una chica madura?
-Claro que sí hija, eres muy madura para la edad que tienes.

-Por eso es que me siento así? Como si tuviera una crisis, como si todo me fastidiara, como si no tuviera sentido el vivir... A veces, ni yo misma me comprendo.

-Sol, eres tan madura hija que fuiste tú la que me motivaste a tomar una decisión importante en mi vida, eres la que me impulsas a ser mejor todos los días. Hija, estoy muy orgullosa de tí, de tus decisiones, de tu madurez, porque yo sé muy bien que tú no eres como las chicas del "montón", que se dejan llevar por lo que las otras hacen... no hija, tú tienes Carácter y personalidad.

-Carácter?
-Sí hija, Carácter.

-Carácter -prosiguió- es lo que tú necesitas para no dejarte llevar por las presiones de los demás... para saber decir NO a todo lo que puede dañar tu vida, para rechazar esas falsas amistades que sólo buscan arruinar tu vida.

-Yo creí que estaba loca.

-Hija, tú ya eres una mujer, yo no te voy a estar vigilando para ver qué haces o no haces, no hija... tu vida depende de tus decisiones, si tú quieres arruinar tu vida, tú lo decides; para mí es muy difícil controlar todas tus acciones. Hija, ha llegado la hora donde tú tienes que ser tu propia juez, sólo de tí depende lo que tú quieras hacer con tu vida, de nadie más.

-Cómo hago yo para saber que tengo Carácter?

-Cuando no te dejes presionar por nadie, aún si te rechazan o se burlan porque no eres o no vistes como los demás; cuando creas en tí misma y no te dejes manipular de nadie, sin importar el qué dirán; cuando tengas la suficiente claridad, responsabilidad y firmeza para decirle a quien sea: "sabes no estoy de acuerdo con lo que haces y si tú quieres ser mi amiga, te pido que no me presiones a que piense o haga algo que yo no quiero ser o hacer" Sólo así, podrás tener Carácter.

-Interesante mamá...
-Un chico a mi edad puede tener Carácter?
-Claro que sí hija, por eso es que te lo estoy diciendo, porque yo sé que tú eres así.
-Tiene que ver la edad con la madurez?

-No, Hija. Yo conozco personas adultas que no tienen el carácter ni la madurez emocional suficiente para saber enfrentar problemas.
-De verdad?

-Conozco amigos de 40 años que les da miedo tomar decisiones, que no tienen límites claros en sus vidas, que no saben lo que quieren y que parecen niños "grandes" justificando sus problemas... ya ves a tu tío Luis, mientras sus hijos y su esposa aguantan hambre, él se la pasa en los bailes con sus amigos.

-Sí mamá, ¡qué irresponsabilidad!

-El Carácter está directamente relacionado con la Autoestima y la madurez... y eso hija sólo se adquiere enfrentando las dificultades de la vida; por eso, "dime qué tanta autoestima tienes y yo te diré qué tanto puedes llegar a ser"

-Wow, mamá, estás inspirada esta noche. Jajaaja -reímos las dos-

-No hija, lo que pasa es que ahora más que nunca sé lo que te estoy diciendo, hoy soy una mujer que piensa diferente, estoy llena de autoestima, de liderazgo, me siento capaz de vencer el mundo yo sola y esa actitud es la que jamás me hará involucrarme en cosas que me van a ser daño, que me van a lastimar. Desde que aprendí a amarme, a confiar en mí misma, a ser consciente de mis fortalezas y limitaciones, aprendí a pensar como campeona y te digo algo hija, las campeonas no nos deprimimos, ni perdemos tiempo contemplando lo que pasó o pudo ser. No hija, no hay tiempo para eso, sólo para mirar hacia delante y decir "yo puedo" "lo voy a hacer", y si tus amigas no están en esa dirección, hazlas a un lado porque te van a estorbar, van a ser un impedimento para tu desarrollo personal.

-Mamá, eres otra, me sorprendes.

-Sí hija, ya dejé de sufrir, de pensar como una víctima, tomé la decisión de no dejarme afectar por nadie, jamás volveré a permitir que nadie dañe mi vida y mucho menos las de mis hijos. Eso es lo que te digo hija, nunca permitas que te hagan daño, que arruinen tu vida, tus sueños; tú vales mucho como persona, como mujer.

-Gracias mamá, no te imaginas cómo esas palabras me llenan de energía y motivación en éstos días en que me he sentido débil y presionada -nos dimos un fuerte abrazo, me acarició el cabello y mis ojos se llenaron de lágrimas, pero de felicidad... porque sé que hay alguien en el mundo que se preocupa por mí, que me escucha, me entiende y comprende todos mis miedos, todas mis angustias-

-Gracias por ser la mejor mamá del mundo porque eres mi amiga y porque siempre estás ahí cuando te necesito. Te quiero mucho mamá y ojalá algún día pueda recompensarte con felicidad todo lo que haces por mí.

-Ya lo estás haciendo hijita -sus ojos no dejaban de llorar, sin duda mis palabras le estaban llegando a lo más íntimo de su ser- Yo también te quiero mucho y deseo lo mejor para ti, sé que estás pasando por una etapa muy difícil de la vida, pero vas a ver que juntas la vamos a superar y el día de mañana vas a realizar el sueño de doctora que tanto quieres ser.

-Dios te oiga mamá.

-Recuerda preciosa, todo va a depender de tu Autoestima, esa es la palabra clave para que puedas surgir en medio de tanta dificultad.

-Si mamá, a veces me comparo con las demás y siempre que lo hago me siento mal, me siento lo peor.

-Lo importante es como tú te sientas contigo misma, que tú te quieras, te valores, te aprecies, te aceptes como eres.

-Ese es el problema mamá, que yo no me acepto como soy.

-Y qué no aceptas de ti?

-No sé, mi cuerpo, mi cara, el hecho que soy mujer, a veces pienso por qué no fui hombre?

-El día que tú te aceptes como eres, ese día... jamás volverás a tener problemas de autoestima, de inseguridad, no vacilarás para hacer las cosas; simplemente, las harás. Te imaginas las cosas que podrías hacer si no tuvieras miedos e inseguridades?

-Muchas.

-Pues actúa como si nada te detuviera. Porque en últimas, son tus pensamientos, tus propias limitaciones.

-Es cierto.

Mis hermanos no estaban esa tarde en casa, fueron al cine con papá -siempre hace eso para alivianar su sentimiento de culpabilidad- lo que facilitó que mi madre y yo entráramos en una conversación profunda, ese diálogo que nosotros los hijos a esta edad necesitamos tanto para construir nuestra escala de valores, la madurez y personalidad que van a regir nuestras vidas. No fue una conversación normal, fue un diálogo constructivo, esos que generan un lazo fuerte de unión y amistad. Percibí mucha sabiduría en sus palabras, todo lo que me dijo me llegó como destellos de luz en medio de mi obscuridad... la admiré más, eso es lo que producen éstos acercamientos positivos entre padres e hijos, nos unimos a ellos como nuestros confidentes y consejeros, depositamos la confianza de poder preguntarles todas las inquietudes que tenemos porque nos sentimos escuchados.

Me sentí con la confianza de involucrarme en la vida de mi madre, de entrar en su mundo, éstos diálogos tan enriquecedores generan una intimidad tal, que las puertas del corazón de los padres siempre quedarán abiertas para cuando nosotros los hijos decidamos entrar o salir de allá. Estoy completamente segura que todos los padres de familia desearían tener una comunicación así de cercana con sus hijos.

-Mami, te puedo preguntar algo?
-Sí hija, claro que sí.

-Has vuelto a hablar con mi papá?

-Sí, hija. Me llama constantemente para decirme que hablemos, que está arrepentido.

-Y tú que piensas?

-De qué?

-Quieres regresar con él?

-A veces lo pienso, pero cada vez que hablamos me decepciona, yo creí que ya había madurado, pensé que esta separación le había ayudado para cambiar, pero lo veo igual de agresivo, celoso e inseguro... y la verdad, no quiero regresar a lo mismo.

-Qué sientes por él?

-No sé hija.

-Lo quieres todavía?

-No sé, me hizo tanto daño, me prometió tantas veces que iba a cambiar y siempre era lo mismo, unos días era el esposo modelo, pero al poco tiempo volvía a los mismos insultos y ya no estoy dispuesta a vivir eso, hija.

-No quieres darle otra oportunidad?

-Hija, cuando una persona no muestra conductas de cambio, es porque quiere seguir llevando el mismo tipo de vida que tiene... y ya dije ¡basta!, no quiero sufrir más, quiero ser feliz y eso depende de mí.

-Te sientes segura, no te hace falta?

-Claro que sí. Pero yo no voy a arruinar mi vida esperando falsos cambios, yo quiero acción, compromiso, respeto... Hija, "No todo lo que deseas es lo que realmente necesitas", siempre me lo decía mi abuela Luz, que en paz descanse. Además, así estoy muy bien.

-Tienes razón.

-Hija, mi autoestima ahora es diferente, soy una mujer autosuficiente, no dependo de nadie para ser feliz, yo administro mi propia vida, la de mis hijos, me siento estable, este trabajo que tengo, aunque a veces es difícil, me llena de ganas para seguir adelante porque lo veo como un reto... todos los días me reto a mí misma, me pongo metas a cumplir y me exijo logros; esto me llena de fuerza interior, me da fortaleza para no dejarme vencer por las tentaciones de la mediocridad y la comodidad. Tu padre ya se dio cuenta que no soy la mujer que antes manipulaba y controlaba a su antojo, ahora tengo Carácter, dignidad y eso a él lo intimida.

-Jajajajajajaja   -reímos las dos-

-Hija, te propongo algo.
-Qué?
-Vamos a cenar las dos solas, hace tiempo que no lo hacemos.
-Genial. Y dónde vamos?
-No sé, donde tú digas, está bien.
-Escoge el restaurante.

Esa noche salí a comer con mamá, me invitó a un restaurante muy bonito en el centro de la ciudad, me hizo sentir muy especial; sobretodo, porque estoy casi segura que son muy poquitos los padres de familia que invitan a cenar a sus hijos adolescentes a un sitio tan bello como el que mi mamá me llevó... es más, estoy convencida que ninguna de mis amigas tiene una relación tan estrecha con sus papás como yo la tengo con mi madre ahora.

Todas las personas que nos ven creen que yo soy su hermana menor, nadie cree que soy su hija, pero no lo dicen tanto por lo joven que ella parece, lo expresan más que todo por la relación tan bonita que las dos tenemos. A mucha gente se le hace imposible que un padre de familia tenga una relación bien bonita con su hija, máxime cuando se es adolescente; porque dicen que somos conflictivos, rebeldes, retadores, agresivos, pero no se dan cuenta que somos así, precisamente por eso, porque no nos saben llegar, no nos saben hacer sentir que somos especiales en sus vidas.

Fue una noche muy especial, tanto para mí como para ella, porque pudimos hablar de nuestras "intimidades", yo le expresé mis preocupaciones, mis metas y ella me compartió sus miedos, sus logros y proyectos. Definitivamente, momentos especiales como éstos son los que hacen que la relación Padres e Hijos sea perdurable para siempre, aún cuando ya seamos adultos.

Al día siguiente en la escuela.

-Quiénes de ustedes van a ir a la fiesta esta noche? -preguntó Zorraida, perdón Zoraida-

-Yo. -contesté-

-Que bueno que te decidiste -contestó Perla que era otra joyita por la fama de zorra que tenía con los chicos de la escuela-

-Y tienes con quién ir? -Preguntó Dolly-
-No, voy a ir sola, Esmeralda va a pasar por mí.

-De todas formas no te preocupes, te voy a presentar unos papasotes que conozco, están bien buenos, como nos gusta.

-Pero van a ir solos? -preguntó Esmeralda- porque quiero uno para mí solita esta noche.

-Jajajajajajajaja -todas rieron-
-Esta noche me ligo a Soledad -amenazó Juan-
-¡Sueñe! -le contesté- No eres mi tipo.
-Si supieras las ganas que te tengo mamasita.

-Uyyyyyyyyy Soledad, -replicaron todas- te están echando los perros muy de frente.
-De esta noche no pasas Soledad.
-¡Vamos a ver! -siempre nos tratábamos así-

-Van a ir chicos de otras escuelas, también Ricky el primo de Rebeca que está bien buenote -dijo Samantha- la fiesta va a estar bien buena.

-Vaya preparada Soledad, la vamos a pasar muy bien y no te preocupes por los condones, yo los llevo -replicó Juan-

-Jajajajaja -reímos todas-

-Contigo sería el último hombre que me acostaría en la vida -le contesté-

-Jajajajaja -todas se burlaron de Juan-
-Esta noche nos vemos, pasas por mí Esmeralda, no se te olvide.

-Sí, como a las 9:00 p.m. Ok?
-Ok, Bye.

Esa misma noche...

Después de tanta inseguridad, decidí ir a la fiesta de la escuela, mamá tenía una comida con unas amigas y mis hermanitos se iban a quedar el fin de semana con papá, daba igual quedarme sola en casa. Quise darme una oportunidad, no podía seguir evadiendo la realidad, tenía que enfrentar mi mundo, las presiones propias de mi edad; el encerrarme en la casa no iba a ayudarme a crecer como persona, es precisamente, el enfrentar éstos peligros lo que me hace madurar. Estaba dispuesta a divertirme, a pasarla bien, pero dentro de mis límites y responsabilidades. Yo no necesito que mi madre me vigile para saberme comportar, yo sé actuar por mí misma, porque sé muy bien lo que quiero y hasta dónde puedo llegar.

Esmeralda llegó por mí a las 10:15 p.m. ya estaba desesperada, se me estaban quitando las ganas de ir. Llegamos a la fiesta y era impresionante la cantidad de chicos que estaban allí, había más que cuando hay clases.

-Hola Soledad.
-Hola Perla -la noté un poco embriagada, estaba afuera en el parking con un chico-
-Qué bueno que llegaron, mira les presento un amigo que acabo de conocer.
-Hola, me llamo Ricky -no podía entender por qué está a solas con alguien que acaba de conocer-
-Hola, soy Soledad.
-Yo soy Esmeralda.
-Estás bien? -le pregunté-
-Sí, estoy bien.
-Y las demás dónde están? -dijo Esmeralda-
-Están adentro. -contestó-
-Nos vemos al rato -se fueron caminando, percibí como si les estuviéramos estorbando-
-Está bien.

Cuando entré al lugar de la fiesta sentí el ambiente muy pesado, todas mis amigas estaban bailando, Esmeralda me dejó sola porque fue a saludar a sus amigas, reconocí a algunas con las que casi no hablaba; sin embargo, en ese momento deseaba que algunas de ellas se acercaran para conversar. Sólo un chico se me acercó y me pidió que bailáramos, me pareció sencillo, por eso acepté. Estaba pendiente de mis amigas, todas estaban en sus mundos, con sus amigos, la estaban pasando bien; me dispuse a divertirme... Dolly, Esmeralda, Samantha, Lupe, Zoraida y otras amigas me localizaron y eso me dio más seguridad e hizo que me sintiera más relajada.

En el transcurso de la noche, conocí un joven muy atractivo, pero se creía irresistible, pensaba que era un Don Juan, trató de impresionarme con sus palabras, me agradó mucho, lo admito, pero se notaba que estaba acostumbrado a las aventuras y yo no me iba a prestar para eso.

-Cómo te llamas?
-Soledad.
-Y tú?
-Peter.
-¡Qué bien bailas soledad!
-Te parece?
-Sí. Bailas muy bien.
-Oye y tienes novio?
-No.

-Ahhh, lo niegas porque no está aquí.
-De verdad.
-Con quién viniste a la fiesta?
-Con mis amigas.
-Y quiénes son tus amigas?
-Las que están allá -miré señalándolas a ellas-
-Tú eres amiga de Zoraida, de Perla.
-Las conoces?

-Sí. Claro que sí, las conozco muy bien. Quién en la escuela no las conoce? -lo dijo en un tono burlesco-

-Son amigas tuyas?

-Bueno, no tanto amigas, conocidas… no te había visto en la escuela, no eres tan popular como ellas.

-Sí, es que ellas me cubren cuando camino.
-Jajajajajaja -reímos-
-Quieres que salgamos un rato?
-Y para qué?
-A dar una vuelta.
-Pues démoslas aquí, no tienes con todas las vueltas que hemos dado bailando?
-No, tú no entiendes, a recibir aire fresco.
-No gracias, estoy bien -empecé a ver sus intenciones, se imaginó que yo era como ellas-
-No entiendo cómo una chica tan linda no tiene novio.
-Te parece que soy bonita?
-Sí, eres muy bonita.
-Gracias.

-Eres bonita pero estás bastante prevenida con los Hombres.
-Por qué lo dices?
-Porque no aceptaste la invitación a salir a tomar aire fresco.
-jajajaja o sea, que para no ser prevenida tengo que aceptar lo que tú me propones.
-No me mal interpretes.
-Es lo que estoy entendiendo.
-Bueno, olvídalo... mejor sigamos bailando.
-Voy a descansar un rato, estoy cansada.
-Ok. Puedo buscarte más tarde?

-Sí, por qué no? -me agradó el chico, me estaba divirtiendo con él, pero era igual de tonto a los demás-

-Uy Soledad, suéltalo un ratito, -dijo Lupita-
-Es todo tuyo.
-No te gustó?
-No es mi tipo.
-¡Qué exigente eres! te vas a quedar sola.
-No te gustó como baila? -preguntó Zoraida-
-Ese papito es lo más bello que tiene la escuela y tú lo rechazas? -dijo Dolly-
-Me invitó a salir a "tomar aire"
-Y no le aceptaste la invitación de ese papito? -dijo Samantha-
-No puedo creer que le dijiste que no –apoyó Lupita. Muchas se enloquecen por estar con él.
-Sí, pero a mí no me gusta una relación así.

Otro chico me invitó a bailar, Peter jamás apareció, no lo volví a ver, supuse que eso iba a pasar, porque no me presté para sus intenciones y aunque me gustó porque es bien guapo, yo no soy de las que se besuquean el mismo día con un chico, creo que eso no es correcto. Mis amigas se burlan de mí por eso, dicen que soy una anticuada, que me da miedo de mi mamá, que todavía no he madurado lo suficiente, que soy una chica con muchas ideas estúpidas, que me falta vivir más, que soy muy inocente para la edad que tengo, como si el ser inocente ya no fuera un valor, sino una desgracia.

Salí a llamar a mi mamá por teléfono para decirle que todo estaba bien conmigo, que no se preocupara, me gusta hacerlo, siento la necesidad de decírselo para que no se preocupe por mí; además, es un acuerdo que las dos hicimos, yo no lo veo como un control, para mí es una manera de sentirme protegida. Mis amigas jamás entenderán esto porque ellas tienen que mentir en sus casas para poderla pasar bien, yo no tengo necesidad de eso. Lo mismo sucede cuando mamá sale con sus amistades, ella me llama para que no me preocupe. Así me educaron en mi casa, es una regla muy clara entre ella y yo, y la cumplo porque es una manera de respetarla y de darle su lugar como mamá.

Caminaba en el parking mientras hablaba con mi madre, cuando... -no podía creer lo que estaba viendo- dentro de un auto vi a Perla sentada encima de Ricky -el chico que acababa de conocer- ella estaba semidesnuda y se acariciaban apasionadamente, él la besaba y la tocaba sin control y ella respondía a sus caricias sin ningún tipo de pudor. Es increíble que una chica esté teniendo actividad sexual con alguien a quien ni siquiera conoce, ni sabe quién es.

Por qué lo hacen? Por qué las jovencitas se entregan tan fácilmente sin pensar en las consecuencias? Sin nada de valor y aprecio por sí mismas? Qué tipo de respeto podrá tener ese joven por una chica como perla? Eso es a lo que ella llama divertirse y gozar la vida? Ahora entiendo por qué les estábamos estorbando al llegar... Ahora comprendo perfectamente por qué Peter me estaba invitando a salir, porque existen chicas "fáciles" como Perla que se dejan manosear y se ofrecen sin ningún tipo de compromiso y responsabilidad -yo me imagino que su mamá no tiene ni idea lo que anda haciendo su princesita-

No se percataban que los observaba y me acerqué a propósito disimulando no haberlos visto -quería evitarles una consecuencia- Perla se alcanzó a dar cuenta de mi presencia, apenas me vio dio un salto y se cubrió, yo me quedé observándola y sin decirle nada continué mi conversación, como si estuviera ignorando lo que había presenciado; sentí su vergüenza -si es que le quedaba- y el desconcierto de Ricky por haber echado a perder su primer cita de amor.

Sentí pena y vergüenza ajena... esas son mis amigas? Por eso fue que Peter me preguntó que si yo era como ellas, aunque uno no quiera siempre te juzgan por la gente con las que uno se rodea, por eso mi mamá me insiste tanto: "dime con quién andas y te diré quién eres", esas palabras que a veces me parecen cursi cobraron sentido en ese instante. Ahora explico por qué ningún chico llega a mí con sentimientos nobles y de respeto, todos se acercan con morbo, queriendo sexo a primera vista, tal como lo hacen con mis amigas... pero yo no soy de esas; desafortunadamente, por estar con ellas yo tengo que asumir su misma reputación.

Me dirigí al salón del baile nuevamente y escuché que alguien me llamaba, era Esmeralda que estaba con dos chicas y unos amigos, se veían raros, ansiosos, como queriendo esconderse de los demás, traté de evadirles pero el llamado fue insistente.

-Soledad, Soledad -me acerqué a ellos-
-Hola Esmeralda, estás bien?
-Sí y tú?
-Bien... No has visto a las otras chicas?

-Zoraida se fue con un amigo y Dolly estaba tan borracha que su hermano vino por ella.

-Seguro que estás bien? -vi que estaba mal, su tono de voz no era el mismo, sus ojos rojos y se reía con frecuencia-

-Ven te presento unos amigos.
-El es Alejandro, Manuel, Paulo; ella es Betty y Lucía -Hola dijeron todos-
-Hola soy Soledad.
-Quieres una cerveza? -me ofreció Paulo-
-No, gracias, no bebo.
-¡Qué aburrida! -contestó Alejandro-

-Ven Soledad, quédate conmigo, no me dejes sola -percibí que algo le estaba sucediendo-

-Amiga, estás bien?
-Súper bien -me gritó riéndose-
-Quieres probar esto? -sacó de su pantalón un cigarrillo de marihuana, estaba drogada-
-No, yo no hago drogas.
-Ay, todas las chicas de la escuela lo hacen.
-Sí, pero yo no.
-No seas amargada, prueba... no te imaginas cómo es de súper, te pone bien.
-Vámonos para la casa, no estás bien.

-Si quieres vete tú, por qué tienes que arruinarle la fiesta a nuestra amiga? -señaló Betty-
-Tú eres amiga? Una amiga jamás hace eso que tú le estás haciendo a ella.

-Qué vamos hacer con esta idiota que se mete en lo que no le importa. -replicó Lucía-

-Soledad prueba un poco de este polvo, es fantástico, te conecta con el universo, no te imaginas la sensación tan agradable que se siente, como si estuvieras flotando en las nubes -observé cómo introducía un poco de polvo blanco en su nariz, me imagino que era cocaína; jamás me pensé que Esmeralda consumía drogas, tan bonita y tan joven que es-

-Esmeralda vámonos para la casa.
-Espera todavía esta muy temprano -eran casi la 1:00 a.m.-
-Voy a llamar a tu mamá para que venga a recogernos.
-Oye qué te pasa es que eres tonta o qué? -dijo Paulo, uno de sus amigotes-
-Si la mamá la ve así la corre de la casa.
-Ella tiene que darse cuenta con la clase de amigos que anda. -repliqué-
-No vayas a hacer eso amiguita, te lo pido.

-Sabes qué, vámonos de aquí, nos vamos a meter en problemas con esta estúpida. -replicó Alejandro-

-Lárguense idiotas.
-No se vayan, no me dejen sola, yo quiero ir a la otra fiesta con ustedes. -gritó Esmeralda-
-Cállate ridícula. -le pegué una cachetada para que reaccionara-

-Dónde estamos? -estaba perdida-

-Por qué haces esto? Por qué arruinas tu vida
tan estúpidamente? -la agarré del pelo y de
coraje e impotencia empecé a llorar-

-No me pegues mamá. -empezó a alucinar-
-No soy tu mamá, soy tu amiga Soledad. -me
abrazó y empezó a llorar como una niña-

-No me pegues mamá, perdóname, no lo vuelvo
a hacer, perdóname. -su alucinación era cada
vez más intensa, ya tenía miedo-

-Soy Soledad, tu amiga -me dio compasión,
tristeza, frustración, me sentí impotente de no
poder hacer nada por ella en ese momento-

-Perdóname, perdóname -lloró más fuerte-

-Por qué haces esto, por qué? Por qué permites
que otros te utilicen como una marioneta y
dañen tu vida a su antojo sin que tú lo
impidas; por qué te engañas a tí misma? por
qué te burlas de tus padres abusando de su
confianza... por qué no te das cuenta que en
últimas eres tú la gran perjudicada -la tomé en
mis manos y lloré de decepción y coraje-

Mis otras amigas se habían perdido, no volví
a saber de ellas durante la noche, estaba sola
con Esmeralda... y estando allí en el silencio de
la obscuridad, me quedé impresionada:

Es abrumadora la cantidad de chicos a mi edad con problemas de drogas, alcohol, pandillas y sexo a temprana edad; en el rato que estuve sentada ahí, me di cuenta cómo muchos chicos están perdidos en éstos vicios. Miré un gran número de jovencitas buscando en el sexo el medio para obtener reconocimiento y aprobación de los líderes de la escuela; observé a muchos chicos drogándose para conseguir ser aceptados por su círculo de "amigos"... Esmeralda era un claro ejemplo de ello.

Pensé en la mamá de Esmeralda, sentí pena por ella, me imagino que está haciendo un gran esfuerzo por orientar a su hija por los caminos del bien y no tiene idea que su hijita esta perdida en las drogas. Es tan fácil para nosotros los adolescentes esconder nuestros problemas, que si los padres no son astutos jamás llegarán a darse cuenta.

Me sentía comprometida con Esmeralda, no la podía dejarla sola en ese estado en que estaba, tampoco podía permitir que llegara así a su casa, su mamá se iba a enterar de lo que estaba pasando. No sabía qué hacer, así que tomé la iniciativa de llamar a su mamá y pedirle que si la dejaba quedarse en mi casa esa noche. Nunca hago esto, pero en medio de tanto coraje sentí compasión por lo que mi amiga estaba viviendo y quise ayudarla, aprovechando que su mamá era amiga de la mía y que ella sentía especial afecto por mí.

Así fue, ella sin que sospechara dio la autorización, hablé con mi mamá y sin entrar en detalle ella confió en lo que yo estaba haciendo, me dio permiso para que Esmeralda se quedara en casa.

Al día Siguiente...

Nos levantamos tarde, preparé un desayuno, estábamos solas porque mi madre había salido a la tienda.

-Qué pasó anoche, por qué estoy aquí contigo?
-Eso es lo que te pregunto, que sucedió? -le respondí en un tono fuerte pero sincero-
-Por qué me hablas así?
-No te acuerdas de lo que hiciste?
-Qué?
-No sabía que consumías drogas.
-Por qué te diste cuenta?
-Porque me ofreciste, andabas con unos chicos que estaban peor que tú de drogados.
-Le dijiste a mi mamá? Me van a matar en la casa porque no amanecí allá.
-Debiste pensar en todo esto antes de hacer tus estupideces.
-Hablaste con mi mamá?
-Claro que sí, no estarías aquí donde ella no hubiese dado el permiso.

-Te juro que no me acuerdo de nada, sólo sé que estaba con Betty y Lucía y me presentaron a unos amigos.

-A esas perras las llamas amigas? No te das cuenta que ellas te están ayudando a que te pierdas en las drogas?... Esmeralda una amiga jamás te presiona a hacer algo que va a arruinar tu vida para siempre.

-Sólo me acuerdo que me ofrecieron cerveza.

-Antes has usado drogas o es la primera vez que lo haces?

-La verdad desde que ando con Lucía, ella me enseñó a fumar marihuana.

-Hace cuánto tiempo?

-Hace poco, la primera vez que lo hice fue hace dos meses, una vez que hicimos una noche de pijamas en su casa.

-Y sus papás no se dieron cuenta?

-Ella prácticamente permanece sola en su casa porque sus papás se las pasan trabajando todo el día y los fines de semana trabajan en un hotel en las noches.

-Cómo pudiste caer tan bajo Esmeralda?
-Qué tiene de malo fumar marihuana? Es como fumar cigarrillo.

-Estás loca? Ayer también consumiste cocaína, por eso, hasta perdiste el conocimiento, me confundiste con tu mamá.

-De verdad, todo eso sucedió? O lo dices por asustarme.

-Esmeralda tú sabes que yo te quiero mucho y de verdad me sentí muy preocupada por tí, no está bien lo que estás haciendo, vas por mal camino, te estás metiendo en el mundo de las drogas y de allá nadie te va a sacar, ni tus amigotas esas falsas que tienes... a ver dónde están? Se fueron sin importarles que te dejaban sola y drogada. Menos mal que estaba contigo, te imaginas que hubiesen sido unos hombres los que te hubiesen recogido, hasta te hubieran violado.

-Me siento mal, soy consciente que esas chicas son mala influencia para mí, pero cómo les digo que ya no quiero más ser su amiga?

-Pues mándalas a la mierda.
-Ellas son buena gente conmigo, siempre me invitan a salir, me llevan a sus fiestas.

-Y cuál es el precio que tienes que pagar por eso? Esmeralda piensa en tu mamá, en tu papá, en tu vida. Eres muy joven y bonita, estudia mujer, no te dejes llevar por las falsas diversiones, esas amistades no son sinceras, entiéndelo.

-Alguna vez has probado drogas?

-Jamás lo he hecho, me han ofrecido, pero sé que eso va arruinar mi vida, por eso no lo hago.

-Quién te enseñó a pensar así?

-Los problemas de la vida... el crecer en medio de un hogar donde había violencia, el ver que papá era un alcohólico que siempre llegaba a maltratar a mamá me enseñó desde muy pequeña, que los vicios jamás serán una solución.

-Yo nunca he vivido eso. En mi casa yo hago lo que quiero, mi mamá me complace demasiado, no tengo reglas, yo misma impongo mis propias normas; desde muy pequeña he manipulado a mis papás como se me antoja, no sé cuál de los dos es más débil. Mi papá se la pasa trabajando todo el día y siempre que llega es a ver televisión, él dice y hace lo que mamá diga, es un hombre sin criterios ni autoridad -tal vez ese es el modelo que yo estoy siguiendo- en la casa la que lleva el orden es mi mamá y yo a ella la manejo.

...Pero sabes, no sé cuál de los dos tipos de familia es peor, el tuyo o el mío. Hubiese querido tener unos padres exigentes, que me colocaran reglas claras, que me obligaran a cumplir un horario; el ser tan flexibles con uno no sirve de nada, creo que nos confunden más; por lo menos eso fue lo que me sucedió a mí.

Yo sé que mis papás son muy buenos, pero esa actitud en éstos tiempos no es suficiente, necesitamos Padres que nos hablen, que estén más involucrados en nuestras vidas, que tengan autoridad en casa, que sean ellos los que manden, no nosotros. Yo creo que por el hecho de ser su hija única me complacieron demasiado y hoy soy yo la que tengo que asumir las consecuencias de este tipo de educación que me dieron... soy una chica manipulable -lo reconozco- que se deja manejar por los demás, sin criterios, buscando siempre la aprobación y la admiración de los demás; eso fue lo que mis padres hicieron conmigo.

-De todos modos, sea cuál sea el hogar de donde tú vengas, ninguno es pretexto para que arruines tu vida tan estúpidamente.

-Es verdad. Cómo es la relación con tus Papás?

-Con mi papá es pésima... pero con mi mamá tenemos una excelente relación, nos tenemos mucha confianza, ella cree en mí, me da mucha libertad porque sabe que yo soy responsable de mis actos.

-Ese es el problema, en mi casa no me enseñaron a ser así. Yo creo que los padres deben supervisar a sus hijos, saber qué hacen y con quiénes están o a dónde van, aunque a uno de joven no le guste... con el tiempo uno se va enseñando a ser responsable por sí mismo.

-Sí amiguita, por eso es que cuando tienes un poco de libertad te desbocas como un caballo salvaje... No Esmeralda, las cosas no son así, tienes que asumir con madurez tu vida, aquí no se trata de que te vigilen o no, que tus papás te controlen o no, aquí se trata de que tú sepas comportarte y que asumas con responsabilidad las decisiones que tomas.

-Sí, tienes razón, soy una estúpida.

-Esmeralda, tú eres la que te engañas, sólo tú; tus papás te podrán negar un permiso, pero no podrán manejar tu voluntad; te prohibirán una amistad, pero no te podrán apartar del peligro de las drogas, del alcohol, de las pandillas, del sexo a temprana edad... tú eres la que tienes que decidir por tí misma qué es lo mejor para tu vida, no ellos.

-Gracias por todo lo que me dices.

-Yo sé que tú eres una buena chica, lo que pasa es que estás confundida... Pero sabes qué: renuncia a esas amistades que te están haciendo mal, rodéate de amigos sanos, en la escuela hay chicos así, que no tienen broncas; está Palomo, que es el coordinador del club de lectura, con ellos nos reunimos cada martes. Está Jesús, que le gusta hacer teatro, a veces nos juntamos para hacer algo y Victoria, mi gran amiga, -su nombre refleja lo que ella es, venció una adicción de muchos años a las drogas, hoy está totalmente rehabilitada-

toca guitarra y canta muy bonito. A veces, nos reunimos a cantar. Amigos como ellos son los que tú necesitas.

-Prométeme que no le vas a contar a nadie lo que pasó anoche.

-Sí, te lo prometo, con una condición... Prométete a ti misma que esto jamás volverá a suceder en tu vida... Esmeralda estás a tiempo de cortar con algo tan peligroso como eso, no juegues con fuego porque te vas a quemar.

Estábamos inmersas en una profunda conversación, cuando justo en ese momento alguien tocó a la puerta... era su mamá quien había llegado a mi casa preguntando por ella, yo la invité a entrar; Esmeralda se levantó y corrió a abrazarla, sorpresivamente ella empezó a llorar, me impactó mucho, porque en algún momento pensé que sólo escuchaba pero que no estaba interiorizando lo que le decía -así somos los adolescentes-

-Mamá perdóname.
-Qué sucede hija, te pasó algo?
-No. Sólo quería decirte que me perdones.
-Pero por qué? Estás bien?
-Sí mamá, lo que pasa es que estoy muy sensible y quería decirte eso.

-Ya ves lo que pasa cuando te quedas fuera de casa.

-Te quiero mucho mamá.

-Yo también hija, te quiero mucho.

-A ti también Soledad. -se dirigió a mí y me abrazó muy fuerte- gracias por ser mi amiga.

-Gracias porque confías en mí   -las dos nos abrazamos y lloramos como dos pequeñas-

-Te agradezco mucho hija. -me dijo su mamá, como si presintiera algo-

-No hay por qué.

-Y tu mamá? -preguntó-

-Salió temprano para la tienda, no tarda en llegar.

-Bueno hija me la saludas.

-Gracias Soledad. -me repitió Esmeralda, como si con esa despedida estuviéramos sepultando un secreto para toda la vida-

-Te cuidas, nos vemos el lunes en la escuela.

-Bye.

Toda esa tarde me quedé pensando en Esmeralda, en esos jóvenes que a mi edad andan confundidos por la vida. No podía creer que ella engañara así de fácil a su mamá... Y más sorprendida aún quedé con la actitud tan débil de su mamá; cómo no se iba a preguntar el por qué su hija le estaba pidiendo perdón, cómo no iba a darse cuenta que le estaba pasando algo... No podía creer que no tuviera la malicia para indagar y preguntar más sobre el por qué Esmeralda estaba actuando así; se nota que la comunicación con su madre no es profunda. Mi mamá me hubiese sacado la información sin que yo me diera cuenta, no se hubiera quedado conforme con esa respuesta. Definitivamente, los Padres de familia juegan un papel clave en nuestras equivocaciones, si ellos se dan cuenta nos pueden ayudar a corregir a tiempo, si no, seguiremos equivocados toda la vida.

El Lunes siguiente en la escuela...

Llegué un poco tarde a la escuela, tenía muchísimas expectativas de ver a Esmeralda, pero no la encontré, me dirigí al salón de clases y allí me encontré con las otras; Perla apenas me vio me evadió la mirada, todo era un silencio. Se me acercó Dolly y me contó todos los chismes de la fiesta: supe que Zoraida se había ido con un chico que conoció esa noche, Perla había pasado la noche con Ricky, -en ese momento llegó Esmeralda- que Susy se había agarrado a pelear con otra chica porque la vio besándose con su novio y me contó lo que pasó con Samantha... ella y su prima se subieron a un carro con unos amigos que estaban pasados de alcohol, tuvieron un accidente muy fuerte, ella se salvó, está todavía en el hospital, pero su prima falleció.

Esta noticia me estremeció, porque yo la vi cuando llegué a la fiesta, estaba muy feliz bailando con un amigo, esa fue la última vez que vi a Sandra, la prima de Samantha. Me impactó mucho, porque esas son las consecuencias que nosotros los adolescentes no pensamos que nos pueden suceder, me quedé fría y me dieron ganas de llorar. En ese instante entró Mrs. Sophia, mi maestra preferida, -me sentí avergonzada con ella- nos preguntó:

-Algunos de ustedes conocen a Samantha?
-Yo -Nosotras levantamos la mano-
-Sí saben lo que pasó, verdad?
-Me acaba de informar Dolly lo que pasó. -dije-
-Lo que produce una noche de diversión sin ningún tipo de responsabilidad –dijo-
-Por qué dices eso maestra? -preguntó Perla-

-Porque es una irresponsabilidad subirse a un carro cuando yo sé que el que conduce está bajo efectos del alcohol.

-Ustedes chicos -prosiguió- creen que porque son jóvenes están exentos de peligros, no. Ustedes son los más expuestos a éstos tipos de accidentes porque no conocen la palabra responsabilidad, no saben decir NO a sus amigos, les da pena colocar límites, creen que se van a burlar de ustedes si lo hacen... y que estúpidos son en verdad... prefieren perder la vida a perder un "amigo" -movió sus dedos como comillas cuando pronunció esa palabra amigo-

-Es cierto maestra, yo estuve en la fiesta y no te imaginas lo que vi: chicas teniendo sexo en el carro con los amigos, chicos y chicas drogándose, chicos bebiendo alcohol sin nadie que los controlara.

-Cállate idiota -dijo Perla-
-Por qué la callas, te sientes atacada Perla? -le preguntó la maestra-
-A lo mejor. -repliqué-

-No jóvenes, eso que ustedes llaman diversión, no lo es... esos son actos de irresponsabilidad. Ustedes saben cuál es el porcentaje de adolescentes que abandonan la escuela? Saben cuántas chicas, entre los 15 a 18 años se embarazan cada año en este país? Cuántos chicos a sus edades tienen problemas fuertes de adicción a las Drogas, al Alcohol u otras sustancias adictivas? Cuántos chicos han asesinado, están inválidos o pagando condenas en la cárcel por problemas de violencia entre pandillas?

Es alarmante la gran cantidad de adolescentes que son madres solteras, que tienen que conformarse con un trabajo de bajo perfil porque no terminaron sus estudios de High School; y todo por llevar una vida mediocre, porque para muchos de ustedes es mejor divertirse irresponsablemente que estudiar. En esta escuela hay más probabilidad de que un joven ingrese a una pandilla a que vaya a una universidad; de todos los chicos que se gradúan cada año sólo el 3% sigue sus estudios a nivel universitario y créanme eso para mí es muy triste. Las cortes tienen más citaciones a juicio por delitos judiciales entre la población juvenil que universidades recibiendo solicitudes de ingreso.

-Mrs. Sophia entonces tenemos que estar encerrados en casa porque es malo divertirnos -replicó Juan-

-Yo no he dicho eso joven.

-Entonces no entiendo -dijo en tono satírico-

-Quién te dijo a ti -habló más fuerte- que para pasarla bien en algún sitio, necesitas emborracharte, drogarte o acostarte con alguien… eso es a lo que tú llamas diversión?

-Depende con que nena pase la noche -los demás rieron, no entendían la profundidad de sus palabras-

-Tú estás preparado para asumir la responsabilidad de educar a un hijo? -le preguntó la maestra-

-No.
-Pero para revolcarte con una chica en la cama sí lo estás, verdad?
-Por supuesto que sí. -todos rieron-

-Y las consecuencias? Si hay un embarazo cómo lo vas a asumir? Ahí está lo que les digo, que ustedes no piensan como personas maduras, piensan y actúan como niños.

-Maestra, si hay una consecuencia, pues respondo por el niño y se acabó el problema.

-Y eso soluciona el problema? Tú crees que traer un hijo a la vida es como comprarse un pantalón... hijo madura. Por eso, es que hay tantas adolescentes que son "madres" solteras, porque dan con chicos como Don Juan jajajajajaja -reímos todos, pero yo vi que las palabras de la maestra le llegaron, pues Juan era hijo de una madre soltera-

-Por qué te quedaste callado Juan? -indagó la maestra-

-Porque es cierto. -sus ojos se llenaron de lágrimas y un silencio predominó en el salón-

-Yo nunca conocí a mi padre.

Su voz se quebró y empezó a llorar en silencio. Estaba cabizbajo y una avalancha de llanto lo invadió sin control, empezó a llorar sin parar y su respiración se entrecortaba, sus manos temblaban... no quería hablar del tema; sin embargo, su corazón quería sacar para siempre todo el dolor que esto le causaba.

-Quieres que hablemos de eso?
-No.
-Estás bien. Te sientes mejor?
-Sí.
-Juan, si eso pasara con alguna de las chicas con las que te acuestas, te irías a vivir con ella?
-No.
-Por qué no?
-Porque no las quiero, sólo las busco para divertirme un rato.

-A eso le llamas diversión?... a jugar con los sentimientos de otra persona, a traer a la vida a un niño indefenso para que sufra el desprecio de su padre, a dañarle el futuro a una chica que a lo mejor está más confundida que tú?

-Pero ellas me buscan y yo soy débil jajajajaja Además maestra, yo sé muy bien que si lo hace conmigo, perfectamente lo puede estar haciendo con otro, quién me asegura que no.

-Cuándo vas asumir tu responsabilidad?, cuando vas a dejar de ver a la mujer como un objeto sexual?

-Cuando encuentre una que en verdad se haga respetar -contestó-

La maestra se quedó callada y perpleja ante la sorpresiva e inteligente respuesta de Juan, todos quedamos en absoluto silencio porque su comentario reflejaba un vacío, una fuerte insatisfacción, pero también una profunda realidad. Miré con prudencia a Zoraida -su juguete sexual de siempre- y vi que estaba llorando, me imagino que sus lágrimas representaban lo mal que le hizo sentir ese comentario, el concepto tan bajo que Juan tenía de ella. ¡Qué ironía!... el que la busca para que le calme su sed de pasión, es el primero que la recrimina y peor piensa de ella... y la pobre creyendo que de verdad la quería porque se acostaba con ella. ¡Qué estúpidas somos las mujeres cuando creemos que con el sexo conquistamos a los hombres!

Se terminó la clase en un ambiente de mucha reflexión y cuestionamiento, esta maestra tiene el poder de llegar a lo más íntimo de nuestros corazones, nos habla con la verdad, nos confronta y nos hace ver la vida desde otro punto de vista, hace que nos valoremos a nosotros mismos, que pensemos en un mañana, en un futuro mejor. Yo sé que mis amigas quedaron impactadas por todo lo que nos dijo, nos hizo reaccionar para que despertemos de esas falsas amistades, de ese engaño, de esa vida tan superficial que nosotros mismos construimos para estar bien.

Al salir del salón pude ver a Esmeralda, en cuanto me vio, me abrazó muy fuerte, pude sentir en su gesto de aprecio una gratitud y afecto especial por mí.

-Cómo te fue? -le pregunté-

-Sabes una cosa? Estuve llorando todo el fin de semana, me sentí muy mal conmigo misma.

-Y tu mamá que te dijo?

-Le pregunté que si podía confiar en ella, que si le podía contar mis problemas sin que me castigara ni me tratara mal. Llorando le dije que si le podía confiar un secreto. Asustada y confundida, me dijo que sí.

-Y que pasó?

-Le conté todo lo que había hecho, le confesé que yo no era la niña buena que ella creía que era, le pedí perdón por eso. Me sentía muy culpable Soledad y quería desahogarme con ella sin importar las consecuencias.

-Y cuál fue la reacción de tu mamá?
-Fíjate que hasta yo misma me sorprendí.
-Por qué?

-Porque nunca pensé que mi madre me dijera todas las cosas que me dijo, me pidió perdón, dijo que a lo mejor yo me estaba comportando así por la manera cómo me habían criado, lloramos las dos, parecíamos dos niñas... jamás en la vida había tenido esta experiencia de hablarle con la verdad a mi mamá.

-A mí me sucedió exactamente igual.

-Mi mamá me abrazó, se sentía más culpable ella que yo, tuve la oportunidad de mostrarle realmente quien era yo, sin miedos, quería ser libre, actuar sin temores, sin necesidad de esconderme de nadie, quería que confiara en mí, que me diera la oportunidad de demostrarle que yo también puedo decidir por mí misma... y créame Soledad, no te imaginas cómo me sirvió esta conversación que tuvimos las dos.

-Me alegra por tí amiga.
-Me siento libre, como si me hubiera quitado un peso de encima.
-El peso de tu conciencia jajajajajaja -reímos-

-Gracias Soledad, por no haberme dejado tirada esa noche, no sé lo que hubiera sucedido si hubiese pasado la noche con ellos.

-Ni pensarlo.

-Gracias amiga -me apretó la mano y unas lágrimas rodaron por sus mejillas-

-Sólo me preocupa algo. -le pregunté-

-Qué?

-Qué vas a hacer cuando te encuentres nuevamente con Lucía y sus amigos? Qué les vas a decir cuando te vuelvan a ofrecer drogas?

-Les voy a contestar lo que tú nos dijiste una vez que nos estábamos burlando de tí porque no querías ir a una fiesta con nosotras.

-Qué? -pregunté extrañada-

-NO GRACIAS... PREFIERO ESTUDIAR.

-Jajajajaja -nos despedimos riéndonos-

Ese día me sentí muy feliz, me dio mucha alegría el saber que Esmeralda enfrentó su doble vida y pudo confiar en su mamá, porque en últimas, son nuestros Padres los que siempre van a estar ahí, en las buenas y en las malas... Porque pase lo que pase, hagamos lo que hagamos, jamás dejaremos de ser sus hijos.

Capítulo 3

SI ME QUIERES… RESPETAME

Sobre la Amistad, el Noviazgo y la Sexualidad

Las experiencias con mi familia, la relación superficial que tenía con mis amigas, mi proceso de madurez y desarrollo psicológico, propios de esta edad, me llevaron a replantear profundamente el concepto de amistad. Para mí, ser amiga ya no era ser la compañera de fiestas, de diversiones, las cómplices de aventuras y secretos, aquellas que nos pasábamos horas haciendo travesuras sin sentido. No, ese concepto como lo entendía ya tenía otro significado; había madurado y entendido que ser Amigo no era eso... ser Amigo es mucho más: es el que te ayuda a crecer, el que te exige para que tú seas mejor, el que te confronta cuando te equivocas, el que te tiende la mano para cuando deseas salir de un problema, el que enciende la luz cuando todo es obscuro para tí, el que no alcahuetea tus errores porque sabe que en últimas, eres tú el que te engañas a tí mismo.

Ese era el nuevo concepto de amigo que ya tenía en mi mente, que se había apoderado de mí; por tal motivo, decidí renunciar a esas amistades que tenía, yo sola sin que nadie me lo dijera, ni mi mamá. Tomé esa decisión porque veía que no crecía como persona estando con ellas, sólo traía confusión y conflictos a mi vida, ese tipo de amistades. Ahora más que nunca estaba segura de mí misma, tenía fe en mí y aunque me quedara sola, me rechazaran e incluso hasta se burlaran de mí, no me importaba; las presiones de mis amigas ya no lograban confundirme, tenía Liderazgo. Sí, esa es la palabra, era líder de mis propias emociones, tenía control de mis inseguridades y por nada del mundo iba a permitir que otras personas controlaran mi vida. Tenía Carácter, mi estima estaba lo suficientemente fuerte para no dejar que otros me manejaran como una marioneta e hicieran cambiar mi forma de ser y de pensar.

Estaba terminando la secundaria, eran mis últimos días en la High School, estaba enfocada en lo que quería: ir a la Universidad. Estaba completamente segura que para yo lograr ese propósito tenía que buscar nuevas amistades, rodearme de chicos que tuvieran los mismos sueños y motivaciones que yo, eso facilitó aún más el que yo me apartara definitivamente de mis "amigas" de siempre.

Me involucré de lleno en el club de lectura de la escuela donde jóvenes como yo, después de clases, pasamos horas discutiendo algún tema de interés desde la lectura de un libro, lo dirige la maestra Sophia y lo coordina Palomo -así le decimos de cariño, porque es un gran chico, su nombre representa sus sueños, las ganas de volar hacia horizontes desconocidos, tiene una visión increíble de la vida- Nos hemos hecho muy amigos, me identifico con él, me fascina su positivismo; sus deseos de continuar sus estudios lo hacen ver muy interesante... esos son los chicos que a mí como mujer me atraen, me llaman la atención.

A mí no me gustan los "guapos" tontos, que sólo tienen cuerpo pero no tienen cerebro; o los "aventureros" que sólo buscan un rato de diversión y ya, esos son tan cobardes que les asusta el compromiso. Me encantan los hombres que saben qué es lo que quieren y para dónde van en la vida.

-Cómo te pareció la sesión de hoy? -me preguntó palomo al salir de la clase-

-muy interesante.
-Leer a Sigmund Freud es muy fascinante.
-Sí eso veo.

-Me da mucho gusto que hayas decidido quedarte en el club de lectura, se aprende mucho.

-Gracias, a tí por haberme invitado.
-Y que te motivó a venir?
-No sé, me sentía como vacía, además, a mí esto siempre me ha llamado la atención.

-Lástima que hayas ingresado al grupo sólo hasta hace poco, ya se va a acabar el año escolar y lo más posible es que ya no estemos aquí.

-Bueno pero nunca es tarde, siempre hay un comienzo.
-Sí, es cierto. A propósito qué vas a hacer cuando termines la escuela?

-Quiero ir a la Universidad.
-Wow, genial y qué piensas estudiar?
-Quiero estudiar medicina.
-Interesante.
-Y tú, qué vas a hacer?
-También, voy a estudiar Historia y Filosofía, me apasionan, quiero ser maestro.
-Oye genial.
-Te parece?
-Sí, me parece estupendo... y ya estás buscando Universidad?

-Buscando? No. Ya escogí la Universidad donde quiero ir; de hecho ya mandé mi solicitud y creo que no va a haber ningún problema.

-Felicitaciones, me da mucha alegría por tí.
-Y tú, ya sabes dónde vas a ir a estudiar?
-Sí, gané una beca completa para hacer mis estudios de medicina.
-Te felicito. Me permites darte un abrazo?
-Sí. Yo También te felicito, es un logro y te lo mereces.

Nos dimos un abrazo y por primera vez sentí algo muy especial... antes había tenido "noviecitos" de niña y les había besado, quizás con la emoción de una chiquilla que jugaba a ser mujer... pero este abrazo significó algo diferente, como si una mujercita madura estuviera naciendo al amor verdadero, puro, ese que se siente no en los labios sino en el corazón.

En ese contacto corporal sentí una profunda emoción, mi corazón latía a una velocidad impresionante y mis manos querían volar; sin duda, era el amor el que estaba tocando a las puertas de mi vida. Me miró y pude ver en sus ojos que a lo mejor estaba sintiendo lo mismo que yo, nunca había sentido una mirada tan tierna y profunda como esa, nuestros ojos eran como dos imanes que se atraían por una fuerza emocional que estaba muy oculta entre los dos.

-Es un poco costoso pero mi mamá me apoya.
-Pero vale la pena.
-Ya sabes, para cuando te enfermes yo te curo.
-Y seguro que vas a tener muchos pacientes. Jajajajajaja -reímos juntos-
-Siempre ha sido mi sueño ser una doctora.
-Nunca creí que pensaras así.
-Por qué?

-Te soy sincero? Es muy difícil encontrar una chica bonita e inteligente a la vez y tú eres así.

-Me haces sonrojar.
-Además, siempre que te veía con tus amigas pensaba que tú eras como ellas y me decía, lástima tan bonita y tan vacía.
-Eso piensas de ellas?
-Sí. Conozco a Perla, a Zoraida... en fin.
-Pero bueno ya te diste cuenta que soy diferente.

-Sí. Y me dio mucho gusto poder hablar contigo, eres mucho más madura e interesante de lo que pensé. Tus aportes en la clase de hoy fueron muy profundos.

-Gracias por tus elogios.
-No son elogios, es la verdad.
-Espero poder aportar más al grupo.
-Y yo espero que esta no sea la última vez que podamos hablar como amigos.
-Claro que no.
-Te gustaría seguir hablando con alguien como yo?
-Por supuesto que sí, por qué lo preguntas.
-Porque a las chicas les parezco aburrido.
-Jajaja -No te preocupes a mí me sucede igual.
-Cuídate mucho -me dio un beso en la mano-
-Tú también.
-Bye.

Mi cuerpo quedó estremecido, no sabía qué hacer, no sé si fui muy obvia o no, pero no me importó, fueron mis sentimientos los que hablaron por mí; sentía como si en mi estómago estuvieran dos mariposas revoloteando, mis ojos estaban saltando de felicidad, es la primera vez en mi vida que sentía eso, nunca nadie antes me había hecho vivir una emoción tan bella. Me pareció un caballero, un hombre muy maduro para la corta edad que tenía, me sentí como si estuviera entre sus brazos; estoy empezando a sentir lo que una mujer vive cuando experimenta el amor en su vida.

Llegué a casa y mi madre estaba jugando con mis hermanitos, me uní al juego y experimentamos un momento muy bello en familia... el jugar con los hijos es la terapia más efectiva que un padre pueda encontrar para acercarse a ellos.

-Cómo te fue hija? te veo muy feliz hoy -indagó después de que mis hermanos se cansaron de jugar-

-Muy bien mamá -la abracé emocionada-
-Y por qué estás así?
-Hoy se me acercó Palomo, te acuerdas del chico que te comenté que me encantaba?
-Sí, claro. Nunca se me olvida lo que me dices.
-Mamá, es maravilloso... es muy especial, tierno, caballero, intelectual.
-De veras?

-En la clase sentía que me miraba todo el tiempo, creí que era algo pasajero pero al salir se me acercó y estuvimos hablando, me encantó mamá.

-Me alegra hija. Pero ten cuidado, no te ilusiones con alguien que acabas de conocer.

-Siento como si lo conociera desde hace mucho tiempo, tenemos las mismas ideas, los mismos proyectos, es un joven que piensa mamá, quiere una vida diferente, quiere ir a la Universidad.

-Genial.

-Qué piensas?

-Que me encanta verte así de feliz.

Estábamos hablando cuando justo en ese momento timbró el teléfono de la casa, mamá se apresuró a contestar la llamada porque creyó que era una de sus clientes, era para mí. Me imaginé que era alguna de mis amigas pero la mirada de mi mamá la noté un poco extraña, como si intuyera lo que estaba pasando en el corazón de su hija. Era él, quien tímidamente con un poco de gallardía se atrevió a llamarme. Fue una gran sorpresa, por primera vez mis piernas temblaban y mi voz se resquebrajaba de la emoción por escuchar a alguien.

-Soledad?

-Sí, soy yo.

-Hola, hablas con Palomo.

-Hola, que sorpresa. No pensé que fueras tú.

-Sí, disculpa que te llame, quería hacerlo. Espero que no haya sido inoportuno a esta hora.

-No, no te preocupes, a esta hora siempre estoy hablando con mamá.

-En serio?

-Sí.

-Después de cenar es sagrado que mi madre me pregunte de todo lo que hago en el día, es una costumbre que tenemos las dos.

-Wow. Muy interesante, eres la primera chica que conozco que haces eso; por lo general, la gran mayoría de mis amigas no tienen buena relación con sus mamás.

-Para que veas, hay muchas cosas que no conoces de mí.
Jajajajaja -Sí, eso veo.
-Y qué pasó, a qué debo el honor de tu llamada?
-Quería saludarte y decirte gracias.
-Por qué?
-Porque eres una chica muy especial y me da mucho gusto que estés en el grupo.
-Haces esto con todos los que ingresan al club?
-No. Lo quise hacer contigo.

No supe qué responderle, sabía perfectamente lo que estaba pasando, era una adolescente y entendía que esto era una señal, un intento por entablar un acercamiento más profundo y especial entre los dos, dependía de mí si lo permitía o no. Por fin, esta mujercita que muchas veces se sentía sola encontraba la oportunidad de hallar compañía, la que tantas veces lloraba porque no hallaba comprensión, encontraba cariño, respeto y admiración; estaba entrando en otra etapa de mi vida, la que tanto miedo les causa a nuestros padres: Ser mujer.

-Te puedo hacer una pregunta indiscreta? -me peguntó-
-Depende.
-Bueno, no te voy hacer sentir mal, claro está.
-Dime.
-Tienes novio?
-Por qué me preguntas eso?
-Te incomoda? Es que no quiero pasar por pesado o inoportuno.
-No, no te preocupes, no tengo compromisos con nadie.
-Te puedo seguir llamando?
-Claro, si así lo deseas, no hay problema.
-Tu mami no se molesta?
-Creo que no, de todos modos va a saber de tí.
-Por qué?
-Porque yo siempre le cuento todo a ella.
-Y tu papá?
-Por él no te preocupes, no vivimos con él.
-Entiendo.

Tres meses después...

Había iniciado una relación muy bonita e intensa con Palomo, cada vez, nos entendíamos más, había mucha cercanía y afinidad entre los dos, era una amistad muy madura, de dos chicos soñadores que creían que el verdadero amor era para siempre; sentíamos que el uno no podía vivir sin el otro, encarnábamos el romanticismo de la adolescencia, el amor puro de Romeo y Julieta. Ya no era un simple amigo, era el hombre que despertaba en mí tantas cosas lindas, era aquel chico a quien necesitaba, a quien anhelaba ver cuando no estaba a mi lado, al que extrañaba en las noches, el que me impulsaba a levantarme temprano para ir a la escuela sólo por verlo...

Esa noche de verano, fue muy bella y especial, fuimos los dos a caminar junto al lago, estábamos solos caminando, tomados de la mano como los enamorados que detienen el tiempo para contemplarse mutuamente, nos besamos, nuestros labios se unieron como cuando la luna y el sol se encuentran para formar un eclipse. Fue un momento muy hermoso, sentí lo que nunca había vivido: ganas de amar.

-Te quiero mucho. -me dijo-
-Yo también.
-Eres la mujer más bella que he conocido.
-Eres un hombre muy especial.

Nuestros labios se besaban sin parar, sentía que estaba perdiendo el control de mí misma, él me tomaba en sus brazos y me hacía sentir la mujer de sus sueños.

-Te sientes bien?
-Sí. Y tú?
-Me siento el Hombre más feliz de la tierra.
-Por qué?

-Porque estoy con la mujer que adoro.
-De verdad, me adoras?
-Sí.
-Eres hermosa, eres linda, me encantas así.
-Tú también me encantas.

El Silencio de la noche y la complicidad de la luna fueron testigos de lo que estaba pasando, me sentía débil, mi razón estaba perdiendo cordura, mi pudor de mujer estaba permitiendo que esa tarde no hubiesen límites entre los dos. Nos besamos apasionadamente, como cuando una mujer estrena sus labios por primera vez. Palomo, con su delicadeza y ternura logró estremecer todos mis sentidos, era un romántico empedernido.

-Eres muy bella, tienes un cuerpo hermoso.
-Es para ti.
-Quiero que esta noche sea muy especial.
-Por qué?
-Quiero que los dos nos prometamos que siempre estaremos juntos.
-Te lo prometo.

Los besos estaban muy apasionados y las caricias estaban pasando todos los límites que por muchos años defendí ante los demás. No podía creer que estuviera permitiendo que todo esto pasara, yo que tanto criticaba a mis amigas.

De repente la imagen de mi madre se me vino a la mente; recordé su rostro, las palabras que siempre me ha dicho, la confianza que me ha dado, en la amistad tan linda que las dos tenemos. Ese recuerdo inmediatamente bloqueó mi mente, mis emociones, mi instinto de mujer.

-Qué te pasa?
-Nada.
-Te incomodó algo?
-Ya basta, no más.
-Pero por qué? Si yo te quiero.
-Esto no es querer Rafael -ese era su nombre-
-Pero qué pasó?
-Pasó… que me siento mal conmigo misma, no debí permitir que esto sucediera.
-Disculpa, no quise llegar a esto.

-Rafael, el sexo es hermoso cuando las dos personas se aman plenamente y yo apenas te estoy conociendo, yo no puedo decir que en tres meses que llevamos saliendo ya te amo, sería mentirte, necesito conocerte aún más.

-No me amas?

-No. Te estoy empezando a amar que es diferente, no quiero que confundas amor con Sexo.

-Creí que entre los dos ya había mucha confianza y amor.

-Sí lo hay, pero no lo suficiente para entregarme a ti en un momento de pasión y descontrol... No Rafael, el día que yo me entregue a alguien va a ser para toda la vida, no por un rato.

-Pero esto es normal entre dos personas que se quieren.
-Para ti podrá ser normal, para mí no.
-No pensé que lo fueras a tomar a mal.
-No lo estoy tomando a mal Rafael simplemente estoy siendo muy clara contigo.
-Ya veo.

-El día que yo tenga relaciones sexuales con alguien es porque lo amo profundamente y por que sé perfectamente que esa persona va a estar conmigo en un compromiso de amor y entrega para siempre.

-O sea, hasta el matrimonio.
-Sí.
-No creí que pensaras así.

-Sí ves que no nos conocemos. Rafael esa soy yo, así pienso... esos son mis valores, lo que pienso del amor; si me aceptas así podemos seguir juntos, si no estás dispuesto a aceptarme como soy y como pienso, lo siento, búscate a otra que sí se preste para esto. Ahora el que tiene que decidir eres tú... no sé si yo soy realmente la mujer que tú quieres.

-Perdóname.

-No te tengo que perdonar nada, sólo quería ser honesta contigo y conmigo misma.

-Es primera vez que me sucede esto.

-Rafael yo no soy chica de aventuras, de minutos de pasión, si eso es lo que buscas en mí, te equivocaste.

-No, claro que no.
-Si realmente me quieres como dices quererme, tendrás que entenderme.
-Yo te quiero.

-Cuando uno ama verdaderamente a una persona no la presiona a hacer algo que le va a lastimar o le va a producir daño. Si me quieres respeta mis decisiones.

-Estoy confundido.

-Perdóname por haber permitido esto, pero te prometo que esto no volverá a suceder.

-Se lo dije con rabia y decepción. Por primera vez me sentí avergonzada conmigo misma por lo que estaba haciendo... definitivamente, mi madre había dejado una huella muy profunda en mi vida. Si todos los padres supieran lo mucho que pueden impactar la vida de sus hijos, seguro que les hablarían más-

Esa conversación lo cambió todo, lo sentí raro, no hablaba, la noche especial que habíamos soñado tener se esfumó cuando coloqué mis límites, cuando le dije lo que pensaba del sexo y más aún, cuando fui clara al decirle que no estaba preparada para hacerlo con él. Me imagino que le dañé sus planes, que le herí su autoestima, su ego de hombre se vio amenazado cuando le rechacé sus intenciones de conquista. Pero tenía que hacerlo, necesitaba ser yo, mis principios y valores tenían que estar por encima de todo si realmente queríamos establecer una relación de noviazgo sano y duradero.

Yo sabía perfectamente que si esa noche hubiéramos hecho ese "pacto de amor" -que en últimas era un acto sexual- ese día se hubiese perdido lo más bello y hermoso entre los dos: la pureza para poder vernos a los ojos sin recriminarnos y la inocencia para seguir conservando la ilusión de entregarnos algún día para siempre.

Su actitud me confundió, me hizo sentir como si a él lo único que le importaba era eso, conseguir un momento de contacto sexual; lo percibí en su silencio, en su descontento por lo que pasó. Camino a casa predominaba entre los dos un silencio sepulcral, no me atrevía a verlo y él se refugió en el volante. La despedida fue agónica, bajé de su auto y todo mi cuerpo quería llorar. Me sentía decepcionada de mí, de la vida, del amor... creía que el verdadero amor era un simple cuento de novela. Estaba muy confusa, como si el precio para mantener vivo un amor verdadero entre los adolescentes fueran muchas horas de pasión; como si fuera imposible sentir un amor puro, sin morbo y maldad... como el que yo sentía por Palomo.

-Hola mamá. -esa noche llegué a la casa frustrada y enojada, mamá estaba despierta-
-Qué te pasa hija?
-Nada mamá, que soy una imbécil.
-Por qué dices eso?
-Porque soy una tonta que se deja creer de palabras bonitas.
-Peleaste con Palomo?
-Más que eso.
-Qué pasó?
-Mamá, a ti no te puedo mentir.
-Dime hija.

-Mamá, Rafael y yo nos sobrepasamos, creo que llegamos muy lejos y me sentí mal por eso; permití cosas que no debieron haber sucedido entre nosotros, no por ahora.

-A qué te refieres?
-Mamá, tú sabes...
-Relaciones sexuales?
-No. Simplemente nos besamos, el me acarició y quería que...
-Te entiendo nena, pero qué fue lo que sucedió?

-Que paré la situación, le dije que no estaba bien, que me sentía muy mal y que yo quería reservar este momento para otra ocasión más especial, que por ahora quería esperar. Lo que tantas veces tú me has dicho.

-Hiciste lo que tenías que hacer hija, cuál es el problema?

-Que no lo tomó bien, se enojó, cambió totalmente su actitud, era otro después de eso.

-Hija, si Palomo te quiere te va aceptar así como tú eres. Si no, pues tú misma te vas a dar cuenta que sus intenciones eran otras.

-Es cierto.
-Sí hija, lo importante es lo que tú sientas.
-Entonces estuvo bien lo que hice?

-Claro que sí hija. Sería estúpido que para que él no te dejara tú accedieras a sus caprichos... y no hija, el amor no es eso, cuando uno ama no hay engaño.

-Mamá tú alguna vez engañaste a mi papá?
-Jamás, siempre lo amé y lo respeté.
-Mami, te puedo hacer una pregunta?
-Sí, cuál?

-Cuando papá y tú eran jóvenes tuvieron relaciones sexuales antes de casarse.
Jajajaja -se río mamá, con una risa nerviosa-

-Por qué lo preguntas?
-Quiero saber simplemente.

-Tu papá sí pero yo no, él tuvo una adolescencia muy tremenda, era el chico más guapo del pueblo. En cambio, el primer y único hombre que yo conocí en la vida fue tu papá.

-Pero tú y papá? ...

-Sí hija. Y eso es algo de lo que yo me arrepiento, tu papá siempre me lo refregó en la cara. Tal vez por eso era tan celoso conmigo, siempre que se emborrachaba me decía que yo me le había entregado muy fácil y por eso no confiaba en mí.

-¡Que estúpido!.
-Pero así piensan los hombres.

-Sol, piensa en lo que te voy a decir... qué concepto puede tener un hombre de ti, si el mismo día que sale contigo consigue lo que quiere?

-Muy mal concepto.
-Así es.

-Eso es lo que muchas mujeres no piensan. Cuando están de novios no hay problema... pero cuando ya están viviendo juntos la cosa es muy diferente.

Esas palabras de mi madre reforzaron lo que yo siempre he creído, para mí lo más importante en una pareja es el respeto, cuando este se pierde, se acaba lo más hermoso entre dos personas que se aman, porque se genera rabia, resentimiento, rencor... sentimientos que, tarde o temprano, terminan enfermando la relación. Yo no quería eso para mí, siempre he soñado con una relación de pareja estable, armoniosa, equilibrada, donde reine el respeto y la confianza   -tal vez tener lo que nunca vi en mis padres-

Yo sabía que todo era muy apresurado y lo mejor era esperar. Sí, esperar hasta el matrimonio, aunque suene cursi o retrogrado para mis amigas y para mucha gente. Eso era lo que yo quería para mi vida, mi prioridad en este momento era ir a la universidad, ser una profesional y no iba a permitir que nada ni nadie me arrebatara ese sueño, esa promesa que una vez me hice a mí misma de hacer de mi vida, el motivo de orgullo para mis papás.

Al día siguiente...

Justamente debido a la gran cantidad de embarazos indeseados que predominaban en la escuela entre las adolescentes de mi edad, chicas de 15 a 19 años, la maestra Sophia decidió invitar a la clase a un médico para que nos hablara de las consecuencias de la actividad sexual "irresponsable" a temprana edad, temática que llegaba a mí en un momento en el que deseaba hablar de sexo con alguien. A esta edad este tópico se hace indispensable; desafortunadamente, a los padres de familia les da pena y sienten mucha vergüenza hablar con sus hijos sobre esto o simplemente, no se sienten con la capacidad y la claridad suficientes para darnos una orientación adecuada sobre lo que significa la sexualidad.

Quería absorber todo lo que aquí se estaba platicando, todos escuchábamos con gran atención y sin duda alguna, eran muchísimas las inquietudes que nosotros como adolescentes teníamos respecto a este tema, principalmente yo, que estaba muy confundida sobre cómo afrontar mi despertar sexual, propio de la edad.

-Los datos nos muestran que los adolescentes son la población más sexualmente activa en nuestro país -dijo el doctor- Es alarmante la cantidad de chicas en embarazo cada año.

-A qué se debe esto doctor? -preguntó Luis-

-A la pésima educación sexual que los chicos tienen y porque los Padres de familia no les están hablando de este tema a sus hijos.

-Pero qué hay del "sexo seguro"? -preguntó Perla-

-Esa es otra razón, que los jóvenes no se protegen adecuadamente.

-A qué llamas "proteger" doctor? -pregunté-

-A que los chicos no usan adecuadamente los condones y no se cuidan; es decir, no toman precauciones para no quedar en embarazo.

-Pero esa es la solución? -volví a preguntar-

-Claro que no. Pero es la que más está al alcance para un joven de tu edad.

Preguntó Mrs. Sophia: Si los condones realmente protegen, por qué hay tantos embarazos entre los adolescentes?

-Esa es una excelente pregunta maestra.

-Se supone que en las escuelas y clínicas públicas de este país se promueve el uso del condón, por qué eso no ha frenado el número de madres solteras y el alto índice de enfermedades de transmisión sexual entre los adolescentes? -cuestionó nuevamente ella-

-Eso es lo que el gobierno está tratando de investigar -argumentó el médico-

-O sea que el condón no es tan seguro como se cree, cuál es tu opinión? -preguntó la maestra-

-De hecho en las mismas etiquetas de los condones está escrito que los preservativos no protegen 100% es decir, hay un porcentaje de riesgo.

-Entonces por qué nos engañan con eso? -dijo Esmeralda-

-Porque en este momento es considerado como el único y más efectivo método que existe para prevenir embarazos y enfermedades de transmisión sexual.

-Eso es falso -gritó Zoraida-

Un silencio interrumpió el excelente debate que como chicos llenos de dudas e inquietudes estábamos teniendo con una persona que nos estaba hablando con claridad; ese doctor nos instruía y llegaba a nuestras mentes como el papá diáfano y directo que no teníamos en casa. La sorpresa fue más grande aún cuando Zoraida empezó a llorar descontroladamente.

-Eso es mentira -replicó en un llanto fuerte-
-Por qué lo dices joven? -preguntó el doctor-
-Estoy en embarazo, tengo tres meses de embarazo -lo dijo llorando.
-Entiendo. -todos quedamos en absoluto silencio, mirándola fijamente-

-Siempre me "protegía" y me "cuidaba" con eso que usted llama "protección" y aún así quedé en embarazo.

-Bueno, a lo mejor no se lo colocó bien.

-Mira señor, créeme que yo era la más interesada en que esto nunca sucediera, siempre me aseguraba que estuviera bien "protegida" y ya ves... esa maldita protección no funcionó, estoy embarazada.

-Y tus papás ya saben? -preguntó la maestra-
-No. Y no se los pienso decir, me van a matar.
-Algún día se van a dar cuenta. -insistió-

-No sé qué hacer maestra -lloró con más fuerza- qué voy a hacer, estoy muy confundida.

-Estas son las consecuencias de las que siempre les he hablado jóvenes, la responsabilidad de sus actos no está en eso que ustedes llaman "protección", la verdadera responsabilidad está en la madurez de sus decisiones, en la capacidad para pensar antes de actuar y tomar la opción más inteligente... recuerden, toda acción en sus vidas, tendrá una consecuencia.

-Y tu novio ya sabe?
-No, ni se lo quiero decir.
-Por qué?

-Se lo dí a entender y me dijo que era problema mío, que no estaba preparado para tener hijos y mucho menos para casarse conmigo. Me siento muy mal maestra.

-Qué piensas hacer? -la maestra la abrazó-

-No sé.

Todos estábamos completamente anonadados por lo que sucedía, ninguno de nosotros, ni sus amigas de fiestas, se imaginaban lo que Zoraida estaba viviendo, fue algo conmovedor pero también algo que todos nosotros predecíamos que tarde o temprano iba a suceder por la vida tan desordenada que ella tenía. Yo lo analicé simplemente, como una consecuencia de sus actos.

-Doctor, -reanudé la conversación- decías que el "sexo seguro" es el único y más efectivo método para proteger embarazos y demás.

-Sí, es cierto.
-Pues yo tengo otra alternativa que me parece es mucho más efectiva que los condones.
-Cuál? -preguntó sonriente-
-La abstinencia.
–Jajajaja -rieron todos-
-Por qué lo dices?
-Es más seguro no hacerlo, no crees?
-Pues es otra opción -contestó con displicencia en un tono burlón-

-He leído mucho sobre la abstinencia, en este país hay muchas agencias que promueven la abstinencia sexual hasta el matrimonio entre los adolescentes y han mostrado resultados que indican que sí es más efectivo que el uso de los condones.

-habló la Hermana evangélica -dijo burlándose Perla-

-Por favor sean maduros -replicó Mrs. Sophia- aquí todos los argumentos son válidos y merecen respeto. El que tú no lo vivas no significa que otros no lo puedan vivir.

-Jajajaja todos se rieron de Perla-
-Por qué siempre nos muestran el "sexo seguro" como la única opción? -pregunté-
-Porque lo es. -aportó Juan-

-No. La abstinencia es otra opción y para mí es la más sana, 100% más segura, el 100% de las veces.

-En un país como éste, en una época como esta es imposible pedirle a un joven que no tenga actividad sexual. -replicó el doctor-

-Eso es falso. Yo practico la abstinencia, nunca he tenido relaciones sexuales con nadie, ninguno de ellos puede decir nada de mí, llevo ese orgullo en la frente. Todos ellos -los señalé- siempre que se acuestan con una chica, al día siguiente lo promulgan en la escuela como si hubieran ganado un trofeo, como si eso fuera lo máximo que pudieran lograr en su vida. Jamás me he angustiado porque no sé si me va a llegar el período o no, esas preocupaciones no existen en mí, porque sé muy bien lo que hago.

-Es muy difícil encontrar un adolescente que piense como tú.

-Porque no nos enseñan a pensar así, es ahí precisamente donde está el problema. Ni los padres ni los maestros nos hablan del beneficio de esperar y créame doctor, yo quiero esperar, yo no deseo estar en los zapatos de Zoraida, me entiendes?

-Mira, aunque me digas que no, todos los chicos lo hacen. -jajajaja, se rieron todos-

-Eso que tú dices es un mito -argumenté con enojo- No todos, yo no lo hago. Es como si dijeras que todos los adolescentes consumen drogas, eso es falso. Yo no consumo eso, con el sexo es igual.

-Muy respetable tu posición señorita, pero en la realidad no todo mundo piensa así.

-Y ese es el sentido de esta clase -intervino Mrs. Sophia- que cada cual exponga su opinión y que todos escuchemos con respeto cada punto de vista, yo también comparto 100% lo que dice Soledad, ojalá todos pensaran como ella, pero yo sé que eso no es así, la realidad es otra... pero el que no sea opción para muchos jóvenes no significa que deja de ser una alternativa muy válida, apropiada y acertada para una problemática que no sólo a las familias, también al gobierno le está quedando grande manejar.

La Abstinencia es un estilo de vida y como tal es válida considerarla, aplique o no, eso ya es decisión de cada persona. Cada uno de ustedes escoge si le conviene o no esta forma de vivir, pero de algo sí estoy segura, una chica que practique la abstinencia jamás tendrá que afrontar estas situaciones.

-Maestra tú lo dices porque eres mujer, pero nosotros los hombres qué? Cómo vamos a practicar eso, las mismas chicas van a pensar que somos maricones. -preguntó Juan-

-Jajajaja -todos rieron-

-Y?... Yo llegué virgen al matrimonio, desde muy joven conocí a mi esposo, jamás me faltó al respeto, nunca me presionó a hacer algo que yo no quisiera ni estaba preparada para hacer, fue un hombre íntegro, por eso lo adoré hasta que la muerte nos separó. Créanme, que jamás en la vida he sentido la necesidad de acostarme con nadie desde que el murió, su amor fue tan puro, tan verdadero que hasta aún después de la muerte él sigue ocupando el lugar que siempre le correspondió.   -unas lágrimas salieron de sus ojos-

La abstinencia no sólo es para las chicas, es para ustedes también.

-Les pregunto -continuó la maestra- Ustedes algún día han llegado a amar a una mujer con un amor puro y verdadero?

-No. -contestaron los chicos-

-Por eso es que ustedes piensan así. Yo les aseguro que el día que experimenten lo que es el verdadero amor, ese día van a pensar distinto... cuando un hombre realmente ama a una mujer en lo que menos piensa es en acostarse con ella. La quiere tener para siempre no para un momento de placer nada más.

-Eso es cierto jóvenes -apoyó el doctor-
-En eso sí estamos de acuerdo?

-Sí, claro que sí maestra. A mí me sucedió lo que usted menciona, yo pensaba igual que ustedes, incluso en la universidad me la pasaba con amigas "fáciles" hasta que conocí a Melanie, mi actual esposa. Todo cambió cuando la traté, ella se volvió indispensable en mi vida, jamás le propuse algo indecente o que la hiciera sentir mal, yo mismo me sorprendía, a todas las chicas con las que había salido les proponía que fuéramos a la cama, con ella fue diferente. Mi esposa llegó virgen al matrimonio. Cuando uno ama con el corazón lo que uno menos quiere es perder a esa persona.

Lo que pasa es que ahora es una época distinta, las presiones que tienen los jóvenes de hoy son muy diferentes a las presiones que tuvimos nosotros. Ya a los muchachos no les importa el amor, sino el placer y eso no lo podemos negar.

-Son así, porque a nosotros los adultos se nos ha olvidado enseñar valores; los Padres de familia por trabajar todo el día no están en casa para corregir a sus hijos -continuó Mrs. Sophia- a los chicos de hoy los están educando la televisión, el Internet, los video-juegos... los padres, no tienen tiempo para ellos. Y los maestros nos estamos lavando las manos, no hablamos de estos temas para no meternos en problemas porque esto sería invadir la privacidad del joven. Entonces quién está educando la nueva generación?

-Es cierto maestra, tienes toda la razón, aquí el problema es de formación en valores -acentuó el doctor-

-Para mí el que un joven se involucre o no en actividades sexuales a temprana edad es la consecuencia, no el problema... aquí el punto no es que se proteja o no, el punto es preguntarnos, qué es lo que está llevando a los adolescentes a la actividad sexual?... y la respuesta es: hogares destruidos, pésima comunicación entre padres e hijos, maltrato, abandono, abuso emocional, violencia doméstica etc. Situaciones que dañan la autoestima y la dignidad de un joven. Ahí es donde está el verdadero problema, cuando una adolescente no tiene estima y su dignidad ha sido atropellada, es muy fácil que recurra a decisiones inadecuadas como ésta.

-Es cierto maestra, conozco jovencitas que han iniciado la actividad sexual a muy temprana edad y en el fondo, por situaciones como las que usted menciona. Chicas que a los 13 años ya han tenido que ir a un hospital por el contagio de alguna enfermedad de transmisión sexual o simplemente, para practicarse un aborto.

-Entonces la reflexión es ésta jóvenes: por más condones que se repartan en las escuelas, si a los chicos no se les educa en cómo mejorar su autoestima, en el cómo manejar y controlar sus conflictos emocionales, si a los padres de familia no se les orienta para tener una comunicación apropiada con sus hijos... los índices de embarazos entre los adolescentes seguirán subiendo sin ningún tipo de control y de solución, que es lo que está pasando en la actualidad.

-Maestra, lo mismo sucede con el alcohol y las drogas, verdad? -comenté-

-Sí Soledad. Porque el término Abstinencia no sólo es para la actividad sexual, también es para las drogas, el alcohol, las pandillas y todo aquello que dañe tu vida; gracias por tu aporte.

-O sea, que si a alguien le ofrecen drogas y él o ella dice que no, esa persona está practicando la abstinencia? -preguntó extrañada Dolly-

-Sí, eso es. La palabra lo dice, abstenerse de algo, no hacerlo. Si yo digo no, cuando me ofrecen consumir drogas, en ese momento estoy practicando la abstinencia; lo mismo sucede si me ofrecen alcohol. Este concepto es integral, lo que pasa es que siempre lo reducen a una interpretación meramente sexual.

-Por eso les digo que estamos atacando las consecuencias más no las causas del problema. Miren esto, doctor: qué pasaría si el gobierno dijera que para solucionar el problema de las pandillas entre los adolescentes de este país a cada joven le van a dar una pistola para que se "proteja" para que caminen seguros en las calles... esto solucionaría el problema o por el contrario, aumentaría el índice de violencia?

-Creo que aumentaría la violencia entre pandillas.
-Ustedes qué creen jóvenes -nos preguntó-
-Pues que el problema va a aumentar -dijimos-

-Exactamente igual sucede con el problema del "sexo seguro" el repartir condones en las escuelas está promoviendo más la actividad sexual entre los adolescentes.

-Algunos aplaudimos a la maestra, porque sus argumentos eran muy convincentes- Díganme si no es cierto lo que les digo?

-Sí señora -respondimos-

-Por eso, aunque yo no sea una defensora acérrima de la abstinencia, sí creo que es una excelente opción de vida para los jóvenes.

-Qué piensas doctor?
-Me dejaste sin palabras maestra.

-Fíjense jóvenes que es la primera vez que les hablo de esto y lo estoy compartiendo porque la discusión de hoy se prestó para ello, pero sí es lo que yo pienso muchachos. Como les digo, tómenlo o déjenlo, ustedes deciden, pero es válido el planteamiento.

-Sí, como alternativa es oportuna -dijo el doctor-

-A ver chicos... a quiénes de ustedes alguna vez les han ofrecido drogas? -preguntó la maestra- levanten la mano.

-A mí. -contestamos la mayoría-
-Quiénes de ustedes han dicho que no?
-Yo -la mayoría dejamos la mano arriba-
-Juan tú has aceptado? -tenía la mano arriba-
-No.
-Por qué no? Si es algo que muchos hacen.
-Pues yo no, eso dañaría mi vida.

-Sí ves Juan, tú practicas la abstinencia. Y así como a las drogas eres capaz de decirle que no, al sexo también puedes decirle lo mismo, si te lo propones.
-Al sexo si no.
Jajajajaja -reímos todos-

Fue una conversación muy agradable y aunque no compartía la forma de pensar del doctor, fue genial la manera cómo nosotros pudimos hablar de este tema, -que es un tabú para nuestros padres- sin sentir malicia ni morbo, hablamos como adultos, como personas maduras que estamos preocupados porque es una realidad que a todos, de una u otra forma, nos toca enfrentar. Me quedaba claro que el objetivo no era convencer a nadie de mi forma de pensar, sólo era suficiente con ser yo misma sin perder mi identidad, viviendo acorde con mis valores y principios.

Al finalizar la clase busqué a Zoraida, quería hablar con ella, sentía la necesidad de darle un abrazo de amiga y decirle que estaba con ella, la encontré en la biblioteca, sola y llorando, mientras todos pasaban por desapercibido su estado emocional.

-Te estaba buscando Zoraida.
-Hola Soledad.
-Me impresionó todo lo que dijiste en clase.
-Lo del embarazo?

-Sí. No sabía por lo que estabas pasando.

-Ha sido muy difícil esto para mí. Yo creí que realmente me quería, me decía que me amaba, que haría lo que fuera por estar a mi lado... y ahora no me quiere ni ver.

-Y hace mucho tiempo que se conocen?
-Tres meses, pero en ese tiempo lo llegué a amar.
-Tú crees que él te ama lo suficiente?
-Yo creía que sí, pero ahora lo estoy dudando.
-Y qué piensas hacer?

-No sé. Soledad estoy muy confundida. Sólo hace una semana me dí cuenta que estaba en embarazo.

-Y por qué no se lo dices a tus papás?

-Porque tengo miedo a cómo vayan a reaccionar, mis papás son muy estrictos, jamás me perdonarían esto, a lo mejor me echarían de la casa.

-Tienes que enfrentar la situación.

-Hoy pienso hablar con Leonardo y contarle la verdad, si me dice que me vaya a vivir con él, me salgo de la casa para que mis padres no me digan nada.

-Piénsalo muy bien, el irte a vivir con él no va a solucionar nada. Si él no quiere que tengas ese niño, te va a rechazar y quizás te va a maltratar.

-Sí, así lo he pensado.

-Zoraida, por qué no pensaste todas estas cosas antes de tener relaciones con él.

-Por estúpida, sólo cuando a uno le pasan las cosas es cuando uno aprende. Me sentí muy mal en la clase, esto debí escucharlo antes y no ahora, pues ya es tarde.

-Zoraida lo que yo te recomiendo es que hables con tus papás, al fin y al cabo, ellos algún día lo entenderán.

-No sé, tengo miedo.

-Es más fácil que tus papás te acepten a que Leonardo quiera asumir esta responsabilidad.

-Sí, tienes razón.

-Inténtalo amiga, a veces el miedo que les tenemos a nuestros padres nos hacen olvidar lo mucho que ellos pueden hacer por nosotros.

-Tengo que hacerlo, no me queda otra salida.

-Vas a ver que es más fácil de lo que te imaginas.

Me despedí de Zoraida con un sentimiento profundo de impotencia, no podía hacer nada por ella, eran las consecuencias de una vida desordenada, sin reglas ni límites que, tarde o temprano, debía terminar en una situación como ésta. Muchas veces le advertí de su inmadurez y de su forma inadecuada de vivir, pero ella creía estar disfrutando la vida plenamente, divirtiéndose a granel, sin ningún tipo de responsabilidad y madurez. Como si el ser joven nos diera el derecho de arruinar lo más lindo que tenemos: nuestras ilusiones.

Al salir de la escuela me encontré con Palomo, no me atreví a verlo, no quería hablar más de lo sucedido pero él me buscó.

-Hola... Puedo hablar contigo?
-De qué?
-De lo que pasó la otra noche.

-Yo fui muy clara contigo. Y si no aceptas mi forma de pensar, tampoco aceptas mi forma de vivir; por lo tanto, no soy la chica que estás buscando.

-No, te equivocas, por favor escúchame.

-Ya te dije, si no estás dispuesto a aceptar mis valores y mi forma anticuada de pensar, para qué me quieres buscar? hay otras chicas más liberadas que yo, que sí se prestan para lo que tú quieras, yo no.

-Por favor Soledad, no seas cruel conmigo.

-No Rafael, tú eres el cruel conmigo, porque no accedí a tus pasiones, me dejaste como vil cobarde. Yo estoy buscando un hombre que me ame de verdad, no un niño que huya cuando se sienta rechazado.

-Sí, lo sé, perdóname. Actué como un idiota, me dio mucha vergüenza contigo.

-Estoy muy confundida, yo tenía una imagen muy diferente de ti y creo que me equivoqué.

-Dame la oportunidad de demostrarte que sólo fue un error, pero que jamás volverá a suceder.

-No sé qué decirte.

-Me tomó de la mano- Por favor, dime que aún me quieres y que me vas a perdonar.

-Dame tiempo. -me sentí feliz por todo lo que me decía. Yo sí lo quiero, deseaba que volviera a mí, pero no podía permitir lo que había sucedido-

-Te invito a salir esta noche, quiero que hablemos.
-Está bien, te espero.
-Gracias por escucharme -me robó un beso-
-Te veo a las 7:00 p.m.
-Ok.
-Quieres que te diga una cosa?

-Qué?

-Cada vez me enamoro más de ti. Lo que sucedió entre los dos, me enseñó a ver la clase de mujer que eres tú, me siento muy feliz porque tú eres lo que estaba buscando.

-Y qué estabas buscando?
-Te lo digo esta noche.

-Jajajaja -reímos los dos y sin darme cuenta un beso en la boca me dio. Nos besamos con mucha ternura, yo deseaba este momento, quería que palomo no se fuera de mi vida-

-Bye mi amor -me dijo-
-Te espero.

Llegué a la casa más motivada que nunca, quería abrazar a todo el mundo y decirles que los quería, es increíble cómo un momento de amor sincero llena el corazón de emoción, de ganas de vivir. Abracé a mi mamá, la cargué y le dije que la amaba mucho, nos reímos de este ataque de locura, le dije que había hablado con Palomo y que todo se había aclarado entre él y yo. Le pedí permiso para salir esa noche con él y me dio la recomendación de siempre: tú ya eres una chica muy madura y sabes lo que quieres, tú decides.

Aunque parece muy flexible, mi madre también es muy estricta y firme conmigo, está pendiente de mis amistades, si ella viera que esta relación representara un daño para mí, estoy segura que sería más dura conmigo... su forma de tratarme me enseñó a ser Auto-responsable; es decir, a ser consciente yo misma de mis decisiones y responsable de mis propios actos. Desde muy niña me programó emocionalmente para que tomara decisiones inteligentes en la vida y hoy estoy viendo los resultados.

Esa tarde, la noté un poco celosa, se estaba dando cuenta que su hija ya no compartía tanto tiempo con ella. La sentí un poco desprotegida como si quisiera mendigarme un poco de afecto, sabía que se iba a quedar sola en casa pues mis hermanos estaban con papá. Me acerqué a ella, la abracé y me recosté en medio de sus piernas, en ese sofá en el que siempre nos encontramos como amigas.

-Hija ya eres una mujer y tengo que ir haciéndome a la idea que dentro de muy poco ya te vas a ir de mi vida, tengo que estar preparada para eso.

-Por qué dices eso mamá?
-Tengo que ser realista hija. Los hijos no van a estar con nosotros todo el tiempo.
-Te preocupa?

-Sí y no. Dentro de poco te vas a ir a la Universidad y tu vida va a cambiar completamente, vas a estar en tus cosas y ya no vamos a tener tiempo para las dos. Yo me voy a quedar aquí con tus hermanitos -se le vinieron unas lágrimas-

-No pienses en eso mamá.
-Así es la vida.
-Siempre voy a estar contigo mamá.

-No hija, tú tienes que hacer tu vida, aunque me duela el alma quedarme sola, tienes que cumplir tus sueños. Los hijos son prestados, la vida nos los presta por unos años, cuando ellos se hacen grandes los tenemos que dejar partir sin ninguna objeción. Es la ley de la vida.

-Por eso aprovechemos cada momento juntas mamá. -le dije llorando-

-Te veo muy ilusionada con palomo y me encanta verte así enamorada como estás, pero ten mucho cuidado hija.

-Sí mamá, lo sé.

-Cuando uno está enamorado comete muchos errores por "amor"; errores de los cuáles después nos lamentamos.

-De qué te arrepientes mamá?

-De haberme casado tan joven. Yo era una adolescente como tú cuando tomé esa decisión; hubiese preferido esperar más tiempo para hacerlo, uno a tu edad no ha madurado lo suficiente para una responsabilidad tan grande como esa.

-Qué edad es la mejor para uno casarse?

-No sé hija, depende. Sólo te digo que a mí sí me hubiera gustado primero estudiar, ir a una universidad, estudiar lo que quería.

-Y qué querías estudiar?
-Quería ser maestra. Me encantaba enseñarles a leer a los niños de mi rancho.
-Y por qué no lo hiciste?

-Porque tomé la decisión de casarme. Estaba muy enamorada y tu papá siempre me decía que me iba apoyar para ir a la escuela... pero eso nunca fue así. Por eso te digo que de novios son unos, pero cuando se casan son otros. Luego vinieron ustedes y ahí sí que menos que podía estudiar.

-Lástima, hubieses sido una maestra muy bonita y a lo mejor hasta ni te hubieras casado con mi papá.

-Es lo más probable.

-Jajajaja -reímos-

-Por eso, te digo hija. Estudia primero, ve a la universidad y después piensas en eso... mira si Palomo realmente ha de ser el hombre con quien vas a compartir toda la vida, cuál es la prisa? Tienen toda una vida para estar juntos... pero no tienen toda una vida para estudiar, piénsalo.

-Así es mamá. Créeme que yo lo pienso mucho.

-Hija, te hablo como mujer, no como mamá. Es común que a tu edad te dejes llevar por la pasión y el deseo y pierdas el horizonte de tu vida; si eso sucede, se te van a complicar las cosas, hija a mí me sucedió con tu papá.

-Fuiste débil?

-Sí, por eso es que te hablo así de claro, yo creía tener todo bajo control, incluso a mí misma, pero fui débil y me dejé llevar por esos momentos de "amor" que muchas veces propiciamos y que sin darnos cuenta terminan haciéndonos daño.

-Tienes miedo mamá?
-Sí.
-De qué?

-Que seas débil, ya lo fuiste. Hija, Rafael es un chico muy interesante, a ti te encanta, ya hubo un primer acercamiento entre ustedes.

-Pero yo misma paré la situación.

-Sí hija. Y eso me hace sentir orgullosa de ti. Pero si hay otro encuentro como ese, vas a volver a ser así de fuerte?

-Esos momentos no volverán a suceder entre los dos, te lo prometo mamá.
-Hija... son tus decisiones.
-Sí mamá, eso lo tengo muy claro.
-Pero quieres que te diga algo hija?
-Sí mamá, por supuesto.

-Soledad, a mí me daría muchísima tristeza verte frustrada, teniendo una vida infeliz; viviendo con un hombre que no te respete, teniendo un trabajo esclavizante, ganándote un salario mínimo para sobrevivir.

-Yo no quiero eso para mi vida, mamá.

-Por eso hija estudia, jamás me cansaré de decírtelo, así me digas que te enfado con lo mismo... si supieras lo que te digo, seguro que entenderías perfectamente mi temor.

-Lo entiendo mamá.

-Hija ya no me queda más que decirte, ahora te toca a ti ser responsable de tus acciones. Sólo recuerda algo: Tu vida va a depender de las decisiones que tomes.

-Gracias mamá por tus consejos, por hablarme así como lo haces, créeme que jamás voy a olvidar todo lo que me dices.

Esa conversación de mujer a mujer, me hizo sentir orgullosa de la madre que tenía: una mamá que a pesar de no tener estudios, sabía ser esa consejera, esa maestra y amiga cuando la necesitaba. Ella llegaba con facilidad a mis temores, respondía con sabiduría a todas mis inquietudes; y sobretodo, entendía mis preocupaciones. Si los padres se llevaran así con sus hijos, seguro que habría menos embarazos en adolescentes y más jovencitas en las escuelas.

Era increíble cómo yo le podía contar a mi mamá todas mis intimidades sin que me regañara o me hiciera sentir mal. Podíamos hablar de sexo sin ningún misterio, le consultaba todo a cerca de la vida, porque reconocía en ella a mi gran amiga... esas amigas que tanto necesitamos en la adolescencia para no dejarnos aconsejar por la soledad. Si mi madre fuera otra -como la gran mayoría de padres- no hablaría conmigo de estas cosas, le daría pena hablarme como mujer, preferiría que otro lo hiciera; es más, no me dejaría tener novio, tendría que verme a escondidas con él, por lo tanto jamás le hubiera contado lo que había sucedido con palomo. Por eso, soy así con ella, le cuento todo lo que pasa en mi vida, porque entre las dos hay una infinita confianza que jamás pienso defraudar.

Terminé el diálogo con mi madre para organizarme, quería lucir bella y fresca en el re-encuentro con Palomo, subí a mi habitación, y preparé toda mi ropa para la gran velada, me dispuse a ducharme y allá en el silencio de mi intimidad, me encontré conmigo misma, con mi cuerpo, con mi sexualidad, me vi completamente desnuda.

Sí, realmente era hermosa como todos me decían. Mi cuerpo era armonioso; mis senos como dos hermosas montañas hacían conjunto con un abdomen delgado y esbelto... mi cintura como dos curvas perfectas le daban forma a esas piernas morenas y de piel fina que adornaban mi caminar. Mis labios rojos, mis ojos cafés que se escondían en mi rostro color canela, mis dientes blancos que siempre aparecían en esa sonrisa que a todos contagiaba, daban armonía a ese rostro bello que ese día en mí percibí... por unos minutos me contemplé, me vi a mí misma: Mi cabello era hermoso, parecía un trigal que resaltaba esas cejas que embellecían las ventanas del edén. De verdad era linda, antes lo dudaba, no lo creía, me daba pena el sólo pensarlo. Ahora, lo contemplo.

Me sentía especial, mi autoestima permitía verme como realmente era, no como me veía antes con complejos y comparándome siempre con las demás; esta vez me contemplaba como un ser maravilloso, como una chica hermosa, con cualidades y valores, que se quiere y se respeta a sí misma. Mientas me bañaba me decía: definitivamente ya no soy una niña, soy una mujer; mi cuerpo ha cambiado considerablemente... tocaba mi abdomen y pensaba en Zoraida, en sus decisiones, en la vida que llevaba. Cómo era posible que algo tan sagrado como su cuerpo lo dejara pisotear por cualquier desconocido; yo no permito que nadie me toque, mucho menos alguien que yo no ame.

Ya soy una mujer... pienso, siento y amo como mujer; comprendo el temor de mi mamá, pero voy hacer que mis conductas le devuelvan la seguridad que una vez tuvo en mí. Sería injusto que yo le pagara a mi madre con una mala decisión, toda la confianza y libertad que ella ha depositado en mí.

Me puse un vestido negro ajustado, con una falda corta que dejaba ver la belleza de mis piernas y el conjunto de mi cuerpo, quería impresionar a palomo, quería atraparlo para mí, pero no con sexo, sino con mi autoestima, con mi seguridad, con mis valores.

Escuché el ruido de un auto que llegó y el timbre de la puerta sonó, supuse que era él, mi rostro joven lo cubría unas pinceladas de maquillaje que me hacían sentir más femenina.

-Soledad, te necesitan hija -grito mamá-
-Ya voy.
-¡Qué hermosa estás! -me dijo a penas me vio-
-Te parece?

-Estás bellísima. Te ves muy diferente cuando te pones un poco de color y con esa ropa pareces una reina.

-No exageres.
-De verdad te lo digo -me abrazó y me besó-
-Dónde vamos? -pregunté-
-Donde tú quieras ir.
-Creí que tenías un lugar escogido.
-Sí tengo uno en mente, vamos?
-Sí... adiós mamá, regreso más tarde.
-Que les vaya muy bien hija, te cuidas.
-Claro que sí. -reímos los dos-
-Quieres bailar? -preguntó-
-Me encanta bailar.
-Quieres comer algo primero?
-Yo no, no sé tú.
-Ok, entonces vamos a una disco muy buena que conozco, es un ambiente sano y divertido.
-Perfecto, vamos allá.
-Qué has pensado de lo nuestro Soledad?
-Qué has pensado tú?
-Me siento el hombre más imbécil de la tierra, por mis estupideces te iba a perder.
-No es para tanto -reímos-

-Pero me dí cuenta de algo: que de verdad, vales mucho, eres muy especial y eso es lo que me fascina de tí.

-Aunque sea anticuada y retrograda?

-Sabes, cosa curiosa, eso es lo que más me enamoró de ti, no eres esa clase de chica que se acuesta fácilmente con su novio; tú eres diferente y eso es admirable.

-Te puedo hacer una pregunta?
-Dime.

-Qué hubiera pasado si yo no hubiese parado la situación, si yo hubiese permitido un contacto sexual... seguirías pensando lo mismo que estás diciendo de mí ahora?

-Jajajaja -risa nerviosa- A lo mejor no, no sé.

-Tendrías el mismo concepto que tienes en este momento de mí? -Se quedó callado sin saber qué responder-

-Contéstame.
-Me haces unas preguntas muy difíciles.
-Sólo quiero saber tu respuesta.
-A lo mejor sí pensaría diferente y no tendría la misma admiración que siento por ti hoy.
-Increíble.
-Te estoy siendo sincero.
-O sea que sí es cierto lo que pienso.
-Qué?
-Que a nuestra edad es difícil vivir un amor verdadero si hay actividad sexual de por medio.

-De verdad crees eso?

-Claro que sí, me lo acabas de confirmar. Cuando se tienen relaciones sexuales antes de... o sin un compromiso tan serio como el matrimonio, se pierden muchas cosas, ya no va a ser lo mismo.

-No lo veo así.

-Respóndeme esto: si me hubiera entregado a tí aquella noche, tú hubieses venido a mi casa con la misma emoción y ganas de verme como lo hiciste hoy?... o hubieses llegado con la intención de volver a repetir hoy lo que pasó esa noche?

-Oye que preguntas las que haces.
-Dime, quiero saber.
-A lo mejor con ganas de repetir lo que había sucedido entre los dos.
-Sí ves. Es cierto lo que te digo, ahora esa sería la motivación, no el amor.
-No sé qué decirte.
-¡Qué cómodo!.
-Pero no pasó nada y aquí estoy.
-Ni va a pasar, eso lo tienes claro?
-Sí, no te preocupes que ya aprendí la lección.
-Jajajajajaja -reímos los dos-

-Gracias por entenderme, te quiero mucho. -me nació darle un beso porque vi en sus palabras mucha sinceridad-

Fue una noche muy romántica, Rafael me hizo sentir muy especial, me estremeció con sus besos, sus abrazos y la forma delicada de tratarme, sentí que estaba orgulloso estando conmigo, bailamos sin parar y a todo momento me decía que estaba hermosa, que era linda... y sí esa noche me sentía así. A lo mejor sus palabras terminaron por convencerme de algo que yo no podía ver en mí, mi verdadero yo. Por primera vez estaba amando sin miedo, sin prejuicios, me estaba dejando llevar por mis emociones, eran mis sentimientos los que en esos momentos hablaban por mí.

De regreso a casa, una profunda alegría invadía mi ser, me sentía la mujer más dichosa del mundo, estaba empezando a contemplar el privilegio de amar, el gozo de sentirme amada por alguien, sin morbo o pasión ruin; estaba vivenciando lo que es llevar en el corazón un amor puro, sincero, que nace del alma y que no tiene ningún interés ni condición.

-Qué haces? -pregunté extrañada cuando paró el carro en medio de un bosque obscuro-

-Sólo quería darte las gracias por esta noche tan bella que vivimos.

-Se acercó y nos besamos- Sabes, yo también me sentí muy especial.

-Fue algo muy lindo que jamás olvidaré.

-Nos besamos con mucho respeto- Rafael, me siento incómoda en este lugar, no soy ese tipo de mujeres que se tienen que esconder para poder expresar un acto de amor. Mi amor es tan puro hacia tí que no necesito venir a éstos lugares para demostrarte que te quiero.

-Tú me quieres?
-Sí, y mucho.
-Entonces por qué te sientes mal si estás conmigo?

-Porque este no es un lugar adecuado para mí, siempre he pensado muy mal de esas chicas que vienen aquí, creo que cuando buscan éstos sitios es para tener contacto sexual y la verdad, yo no quiero llegar a eso todavía.

-Sí lo sé.

-Por favor vámonos de aquí, para yo darte un beso no necesito estar exponiéndome en sitios inadecuados como éstos... o es que pretendes algo más?

-No, no. -se puso nervioso-

-Creo que he sido lo suficientemente sincera contigo Rafael y créame no voy a ceder a tus insinuaciones, por más que te quiera, eso lo tengo muy claro.

-Sí. Por favor no lo mal interpretes, no te quiero perder, yo te amo mucho.

-Yo también, pero eso no es razón para yo traicionar la confianza de mi mamá… y no es tanto eso, engañarme a mí misma.

-Es normal que las parejas vengan a éstos sitios a hablar y a compartir una noche romántica.

-Sí, lo entiendo. Pero quién te dijo que para hablar y ser romántico con tu novia, se es única y exclusivamente en sitios como éstos?

-A ti nadie te gana con tus argumentos.
-Pero dime si no es cierto bebé -le dí un beso-
-Eso es lo que me encanta de ti.
-Te aburre salir con una chica tan anticuada y complicada como yo?
-No, al contrario, me encanta.
-Y por qué? Suena contradictorio.

-Porque yo quiero que la chica que vaya a ser mi futura esposa sea una mujer digna, que se de a respetar, que yo pueda confiar plenamente en ella, sin sentir ningún tipo de celos o desconfianza. Y eso lo estoy encontrando en ti.

-Wow, que lindo.

-Sabes, la otra vez que salí de noche a hacer ejercicios al parque vi a una chica de tu edad sentada encima de un chico, me imagino que estaban haciendo el amor y yo los vi, pero…

-Para ti eso es hacer el amor? -interrumpí-

-Pues sí. Bueno, estaban teniendo relaciones sexuales.

-Esa es mi pregunta, para ti hacer el amor y tener relaciones sexuales son lo mismo?

-Bueno, claro que no.
-Cuál sería la diferencia entonces?

-Que hacer el amor es estar con la persona que tú amas profundamente, que tú adoras y que sabes que es sólo tuya porque hay un compromiso de amor puro entre los dos. En cambio, el tener relaciones sexuales lo puedes hacer con cualquiera aún sin que ni siquiera haya amor o compromiso alguno.

-Perfecto. Ahora sí me entiendes el por qué soy así? porque pienso igual que tú.

-Jajajajaja -reímos los dos-

-Rafael yo te quiero mucho, en este poco tiempo que nos hemos estado conociendo he aprendido a quererte, a extrañarte, a ilusionarme contigo, a soñar con un mañana juntos... pero aún es muy apresurado para decirte que te amo, porque no es cierto. Nos falta conocernos muchísimo más para llegar a sentir en nuestras vidas esa palabra tan hermosa. Te aseguro que el día que te llegue a amar con todo mi corazón, no sólo mi cuerpo va a ser tuyo, sino todo mi ser.

-Sí mi amor, te comprendo.

-Si yo me entregara a tí ahora, no haríamos el amor; simplemente tendríamos un contacto sexual, como lo hacen dos extraños, porque aún no nos amamos completamente. Lo que sentimos es atracción, cariño, deseo, admiración... pero no amor verdadero.

-Pero yo te quiero.

-Sí, lo sé, pero no es suficiente. El día que yo me entregue a ti es porque te voy a dar toda mi vida, lo entiendes?

-Sí. -nos besamos con mucha ternura-

-Sabes, nadie jamás en la vida me había hablado como tú lo haces, nunca había encontrado una chica tan madura y convencida de sí misma como tú y eso me hace admirarte y quererte más.

-Gracias, tu eres un gran chico y te mereces una mujer que te valore y te respete... si no soy yo esa mujer, ojalá algún día te cases con una que realmente te merezca.

Encendió su auto y me llevó a casa, durante el trayecto concluía algo: definitivamente, los hombres tratan a las mujeres hasta donde nosotras permitamos que nos traten. El colocar límites claros entre los dos fue suficiente para que Rafael entendiera que por más que insistiera yo no iba a caer en su jueguito de "don Juan" Pero para llegar a eso, sí fue indispensable que mi autoestima y mi amor propio estuvieran bien fuertes y sólidos, porque si esto no hubiese sido así, muy seguramente hubiese caído bien fácil como lo han hecho muchas de mis amigas.

Algo importante en lo que también pensaba es que mi madre jugó un papel clave en la manera cómo afronté las presiones sexuales de Rafael, para mí era un dilema muy fuerte estar en medio de estas provocaciones: Por un lado, sentía un amor muy grande por él, lo quería, me encantaba como hombre, me atraía muchísimo, sus besos y caricias me debilitaban como mujercita y eso era imposible no sentirlo... pero por otro lado, estaban las palabras de mi mamá, la confianza que existía entre las dos, sus consejos y temores frente a esta nueva etapa de mi vida. Cuando coloqué estas dos situaciones en la balanza emocional, vi con claridad que la figura de mi madre, su impacto en mi vida y la manera cómo ella ha logrado involucrarse en mi intimidad, estaban por encima de estas tentaciones.

Sí, indiscutiblemente la figura de los padres representan un papel determinante y protagónico en nuestras decisiones, aunque ellos no lo crean, cuando uno se tiene que enfrentar a éstos momentos de debilidad e incertidumbre, sus palabras y consejos son importantísimos en la manera de resolverlos; ojalá todos los padres de familia entendieran eso. Yo reconozco que mi madre sí influyó poderosamente en la manera cómo yo enfrenté y resolví los conflictos con mi sexualidad.

Llegamos a la casa y vi que ya era un poco tarde, quería despedirme lo más pronto de Rafael, pues no me gusta dar espectáculos en frente de mis vecinos, por respeto a mi mamá, a mis hermanitos y a mí misma.

-Soledad, cierra los ojos que te tengo una sorpresa, estaba buscando el momento adecuado para hacerlo y creo que es este.

-Cerré los ojos con muchísima curiosidad- Y qué es?... por qué tanto misterio?

-Tú solamente cierra los ojos y los abres cuando yo te diga, está bien?

-Está bien.

-Cuando cuente tres los abres.... Uno, dos y tres.

-Abrí los ojos, era una cajita muy bien adornada que contenía un hermoso anillo de plata- Wow. ¡Que precioso!.

-Te gustó?

-Me encantó, está bellísimo, pero qué significa esto?

-Una promesa.

-Una promesa?... no me vas a pedir que nos casemos porque no estoy preparada para eso.

-No, claro que no.

-Entonces?

-Este anillo representa la promesa de esperar por ti. Te voy respetar y te prometo que no te voy a presionar a hacer cosas que tú no estés dispuesta a hacer. Quiero que reservemos ese primer encuentro íntimo entre los dos para cuando nos entreguemos plenamente en una relación de amor y compromiso para toda la vida.

-¡Que lindo!... y por qué te nació hacer esto?

-Sabes por qué?

-No. Por qué?

-Porque contigo he aprendido a conocer lo que es el verdadero amor.

Un beso delicado de esos que sólo conocen los que aman de verdad, selló esa promesa de amor que los dos hicimos esa noche... Ese es el recuerdo más bello de mi adolescencia.

Capítulo 4

YO... SI PUEDO

Sobre Autoestima y Liderazgo

Fin del año escolar

La próxima semana me gradúo de la secundaria, son muchas las expectativas pero a la vez mi cuerpo se llena de mucho temor e inseguridad, debo asumir nuevos retos en mi vida, debo tomar decisiones inteligentes y esto para una chica que siempre ha estado acostumbrada a que la manden, a que le digan lo que tiene qué hacer, es difícil... hay momentos donde prefiero que sean mis padres los que decidan por mí. Pero así es la vida, cada uno debe construir su propio destino.

La relación con mi madre es excelente, nos entendemos muy bien y ahora que ya estoy viviendo con la responsabilidad de ser una adulta me ha llevado a madurar más la idea de ser yo misma quien tenga que asumir las consecuencias de mis actos. Ya no me controla tanto como antes, siento que confía en mí, le he demostrado con mis comportamientos que yo sé cuidarme, la comunicación abierta y clara que hemos tenido le ha hecho ver que aunque soy muy joven, sé perfectamente lo que quiero.

Con Palomo las cosas van de maravilla, por fin entendió lo que quiero, establecimos límites muy claros entre los dos, comprendió que para mí lo más importante en este momento es el ir a la universidad. Lo amo, lo adoro con toda mi alma, siento que es el hombre de mi vida, pero mi prioridad ahora es la escuela, eso lo tengo muy definido, quiero estudiar, ser una profesional y voy a luchar por serlo.

No quiero tomar decisiones inadecuadas de las que luego me arrepienta, no estoy preparada para ser la esposa de nadie; no, aún no. Siento que mi adolescencia la debo pasar en una escuela y no en una casa, siendo una mamá frustrada; sería una irresponsabilidad de mi parte traer un hijo a la vida, sin yo ni si quiera estar preparada para atenderlo... Y traer un hijo para que mi mamá u otra persona lo críe, me parece la estupidez más grande que pueda hacer, por esta razón, prefiero esperar.

-Qué te pasa mamá? -estábamos las dos solas en casa, en una fría mañana de Domingo-
-Te gradúas este viernes y siento que mi niña ya se va de la casa.
-Mamá, no es para tanto.
-Hija, a qué horas creciste?, a qué horas te convertiste en una mujer?, ¡qué hace que eras una chiquilla traviesa!...
-Y sigo siendo traviesa   jajajaja -reímos-

De repente percibí que lo que mi madre me estaba diciendo era más serio de lo que creía, vi que estaba llorando como si estuviera presintiendo una repentina despedida, me acerqué y comprendí que necesitaba un abrazo, sentí que estaba pidiéndome que no la dejara, que siguiéramos juntas todo el tiempo; en sus lágrimas pude ver el clamor de una madre que no quería desprenderse de su hija, por temor a la soledad, esa soledad que viven las madres -y sólo ellas lo entienden- cuando sus hijos alzan el vuelo para ir a buscar otros horizontes.

-Mamá, no llores, me haces sentir culpable, y yo tampoco te quiero dejar -la abracé con todo mi ser y juntas lloramos-

-Mami, quieres que tu hija triunfe, verdad?
-Sí.
-Quieres verme feliz, realizada, siendo exitosa?
-Sí, claro que sí.
-Quieres ver que tu hija el día de mañana con un buen trabajo...

-Sí hija, tú sabes que deseo lo mejor para tí pero es inevitable no sentir esa sensación de vacío que me produce el sólo pensar que dentro de muy poco tiempo ya no vas a estar aquí conmigo, te vas a ir, yo sé que lo tienes que hacer porque es para tu felicidad, pero estoy pensando como madre. No te quiero perder hija, quiero que sepas eso.

-Te entiendo mamá, claro que te comprendo, pero verte así me duele; además, todavía falta mucho tiempo para irme, así que disfrutemos ahora que estamos juntas.

-Hija yo te amo, deseo lo mejor para tí, lo que pasa es que no me acostumbro a ver que ya eres una mujer.

-Tienes miedo?

-Sí, pero no de ti, de mí. Voy a sentirme muy sola cuando te vayas, con tus hermanitos no es igual, ellos no entienden muchas cosas, con ellos no puedo hablar como lo hago contigo. Pero bueno tendré que aprender a convivir con eso.

-Mamá, voy a estar pendiente de ti, te voy a estar llamando,

-Sí hija, perdóname, no quiero que te preocupes, no debí haberte dicho nada.

-No mamá, no digas eso. Que bueno que me lo dices, yo también tengo que pensar en eso.

-Es la ley de la vida mija, uno trae los hijos a la vida y luego ellos, sin que uno se de cuenta se van, se tienen que ir. Los hijos son prestados, nunca se te olvide esto, lo mismo te va a suceder a ti cuando tengas los tuyos, es la naturaleza.

-Mamá, te siento muy triste.

-No te preocupes hoy amanecí así, ya se me pasará, a todas las madres nos pasa lo mismo cuando sentimos que los hijos están preparando el vuelo.

-Estabas preparada para esto?

-Creía que sí, pero ahora que siento que se aproxima el momento, veo que no.

-Pero tú no tienes por qué estar triste, deberías estar muy feliz y orgullosa de mí.

-Y lo estoy... lo que pasa es que eres la primera. Mi abuela siempre me lo dijo "Hija, tus hijos son prestados, la vida te los presta por unos cuantos añitos y después, cuando ya tú crees que son tuyos, de tu propiedad, te los reclama, te los quita... por eso, dale lo mejor a tus hijos hoy que los tienes, porque cuando ellos se van ya es muy tarde"

En ese momento entró una llamada, mi mamá respondió, era una de sus clientes que necesitaba unos productos... y aunque el diálogo quedó ahí, sus palabras quedaron grabadas en mi mente, sus emociones lograron confundirme, no había pensado en ella como ser humano, como persona. Nosotros los hijos siempre vemos a nuestros padres como seres inquebrantables, duros, fuertes, que no necesitan de nosotros, pero muy pocas veces, los vemos como esos seres que desean afecto, atención, amor, reconocimiento, tal como percibí a mi madre en ese momento.

Mi madre me invitó a que la acompañara, esa tarde fue increíble, nos dedicamos el tiempo para las dos, nos la pasamos como dos adolescentes traviesas que querían compartir su última aventura, nos fuimos para las tiendas, después fuimos al cine y al final de la tarde, entramos a tomarnos un café; de regreso a casa, una lluvia fuerte caía sin parar, nos detuvimos en medio de la lluvia y jugamos como dos infantes, nos reíamos de nosotras mismas, nos quitamos los zapatos y en medio del jardín veíamos como el agua caía sobre nosotras, parecíamos dos locas en medio de la tempestad... reímos como nunca lo habíamos hecho, nunca pensé que mi madre se prestara para esta travesura.

Fue un día inolvidable, jamás olvidaré aquel momento tan bello donde sentí tan cerca a mi madre, fue la tarde más intensa que yo haya compartido con ella, me sentí la hija más feliz del mundo, mi madre me hizo sentir así. Se me vino a la mente tanto tiempo que desperdiciamos discutiendo, enfrentándonos, haciéndonos daño mutuamente, sabiendo que ese mismo tiempo lo pudimos haber invertido haciendo estas locuras que llenan de amor a los hijos, a los padres, a la familia... y me arrepiento de ello, porque cuando uno es inmaduro y rebelde no comprende esto que estoy viviendo ahora.

El día de la Graduación.

Es increíble llegar a este momento, me siento muy emocionada, completamente feliz, pienso por todo lo que tuve que pasar, todas mis amigas que empezaron conmigo la escuela, la gran mayoría de ellas no están, dejaron sus estudios; muchas de ellas ya son mamás, otras simplemente, trabajan. Pienso en mis amigos, en Juan Rodríguez, cómo era de inteligente y ahora sólo trabaja para mantener su "hogar", en Leonardo, cómo las drogas le consumieron sus sueños, sus ideales... Beto, mi gran amigo, cómo lo extraño y deseo que estuviera aquí a mi lado, pero las pandillas le negaron este privilegio de sentir el gozo de triunfar, lástima que el mundo de las gangas le arrebató su vida a tan temprana edad... Pienso en Zoraida, tan linda e inteligente, que estancó su vida, como si un embarazo o el tener un hijo fuera un impedimento para salir adelante y luchar por sus sueños. Pienso en mis amigas: Perla... por qué los adolescentes tomamos tan malas decisiones cuando estamos en esta edad?

Del grupo de amigas que crecimos juntas sólo nos graduamos Dolly, Esmeralda y yo, que pena pero desafortunadamente así es la realidad. Es muy bajo el porcentaje de adolescentes que terminamos la secundaria; en nuestra comunidad latina es más alta la probabilidad que un chico ingrese a las drogas o a una pandilla, a que vaya a una universidad.

-Hola Soledad.   -un saludo inesperado de la maestra Sophia interrumpió mi pensamiento-

-Cómo estás maestra?
-Muy bien, emocionada de verte graduar de la escuela.
-De verdad?

-Sí. Uno como maestro siempre se alegra cuando sus alumnos brillantes triunfan. Y tú eres una chica muy especial que te mereces muchas cosas buenas.

-Gracias maestra.
-Y ya estás lista para la Universidad?

-Sí, maestra. Voy a estudiar Medicina en la Universidad de Arizona, me voy a vivir con una tía en Phoenix.

-Wow, excelente noticia.

-Tengo un poco de miedo, no conozco a nadie, voy a otra ciudad, empezar de nuevo, tú sabes.

-Pero vale la pena, vas a cumplir tus sueños, además yo sé que tú lo vas a lograr, yo confío en ti, tienes excelentes capacidades para triunfar, eres una joven muy madura y con ganas de progresar y eso es lo indispensable para uno salir adelante: GANAS. Hambre de superarte, de no ser una mediocre como tantas que han desfilado por esta escuela. Hija, nunca permitas que esas ganas se te acaben, porque el día que eso suceda vas a ser como otros chicos, que solo viven y respiran pero nada más. Tú eres diferente, eres especial... y lo que te hace ser distinta es esa gran madurez y esa profunda convicción que tienes de ti misma, de tus valores, de lo que quieres.

-Gracias maestra.

-Siempre me sentí honrada de tu aprecio, de tu admiración. Fue un placer para mí tener una estudiante como tú.

-Mrs. Sophia, gracias por todo lo que aportaste a mi vida, por enseñarme a que yo podía hacer la diferencia, te voy a llevar siempre en mi corazón con una profunda gratitud, admiración y respeto por lo que haces, por lo que has hecho por mí; porque tú eres y serás mi gran maestra.

En ese preciso momento me abrazó y no pudo contener sus lágrimas, me apretó entre sus brazos y yo también lloré de emoción, de gratitud; me estaba despidiendo de una persona que había dejado una huella muy profunda en mi vida, sus enseñanzas, su ejemplo de vida, sus valores hacían que la respetara y la admirara como nunca antes había valorado a alguien. Sentí en su despedida, un aprecio sincero, un cariño maternal, un reconocimiento a lo que yo soy, lo que pienso, pues siempre me identifiqué con ella; es más, sueño con llegar algún día a ser como ella, un ejemplo de vida para los adolescentes.

-Gracias Soledad, te deseo todo lo mejor, que todos tus sueños se cumplan y cuando ya seas una doctora quiero ser tu paciente -jajajaja reímos con nostalgia- Que Dios te bendiga y siempre ilumine tu vida. Hija, tienes todo para triunfar, no te detengas, no vaciles, vendrán momentos de soledad, de confusión, de tristeza, pero que eso no te haga renunciar a ese sueño tan bello que tienes... Lucha por él.

-A ti también te deseo lo mejor maestra, muchas gracias por creer en mí, tus clases fueron claves para yo tomar consciencia que necesitaba cambiar... y lo hice. Antes la relación con mi mamá era muy difícil, ahora somos las mejores amigas y tus clases me ayudaron mucho a esto, a ver la vida con otra visión.

-Ya no me digas más hija, me vas a poner muy triste -veía cómo mis palabras la ponían más sensible, me dio un beso en la frente-

-Cuídate maestra, que sigas impactando la vida de muchos jóvenes, tal como lo hiciste conmigo.

-Gracias hija. -sus ojos estaban llenos de lágrimas, como cuando una madre despide a su hija porque sabe que ya jamás la volverá a ver-

No pude evitar las lágrimas correr sobre mi rostro, ese es el precio de la gratitud, cuando nosotros los adolescentes apreciamos a alguien, les respetamos, los recordamos con cariño y sobretodo, jamás los olvidaremos porque siempre los vamos a considerar como aquellos modelos que aportaron a nuestras vidas.

Con la mirada traté de buscar a mi familia, no los hallaba, por un instante sentí algo de desconsuelo y frustración, creí que no iban a estar conmigo en ese momento tan especial para mí, de repente los vi entrar, para sorpresa mía, también venía mi padre con un ramo de flores y una bolsa de regalo, sentí mucha emoción, aunque la relación no fuera buena con él, el estar acompañándome en este momento me hizo llorar de alegría, no sabía qué hacer, qué decir, sólo los vi desde lejos y no pude evitar el volver a añorar esa familia que una vez perdí.

Vi tan feliz a mi madre que pensé que jamás había sufrido, percibí en el rostro de mi padre una mezcla de sentimientos encontrados: orgullo, satisfacción, culpa, remordimiento, nostalgia, tristeza, etc. Lo miré fijamente como si le estuviera diciendo gracias por estar aquí conmigo. Quise salir corriendo a abrazarlo, a decirle que lo perdonaba, que a pesar de todo, lo extrañaba y me hacía falta... pero algo dentro de mí me detuvo, no se qué. Quizás el orgullo o el resentimiento que no nos deja ceder aún cuando deseamos enormemente ser amados.

En ese momento no había lugar para el rencor, ni para las acusaciones como siempre solemos hacer; quizás la conversación con la maestra Sophia me había transmitido esa sensibilidad, estaba muy emotiva y mi corazón estaba lleno de nostalgia, de tristeza porque una etapa más de mi vida se iba y nunca más la volvería a vivir. Quería despedirme de este momento de mi vida con mucha gratitud, con mucha emoción, pero ante todo con mucha satisfacción.

Aquí en la escuela se quedaban los momentos más bellos de mi adolescencia, los recuerdos más hermosos de una niña que sin darse cuenta se convirtió en mujer... este lugar fue testigo de todo lo que aprendí, lo que viví y esas vivencias jamás las volveré a vivir con tanta intensidad porque fueron las que formaron mi personalidad de soñadora, de conquistadora; la Soledad que hoy soy, la chica rebelde que quiere triunfar.

Todos mis compañeros de escuela estaban allí; Rafa, mi palomo, lucía como un verdadero príncipe, se me acercó y me dio un beso, lo sentí muy cálido, tierno, con mucha nostalgia. Nos abrazamos y sentí en sus manos miedo de perdernos, de que esta nueva etapa de la vida nos distancie y nos haga olvidar lo bello y hermoso que hoy sentimos: nuestro amor de juventud. Yo también le transmití esa sensación, lloré como una chiquilla, no sé si de tristeza o satisfacción.

-Por favor tomen sus asientos -escuché por el micrófono al principal de la escuela- vamos a dar inicio a nuestra gran celebración.

-Hoy es un día muy especial para éstos jóvenes, somos testigos del recorrido que ellos han iniciado por el camino que conduce al éxito, con altibajos y sacrificios, con desafíos y momentos de debilidad todos ellos han enfrentado la adversidad y hoy con la manos arriba, con orgullo, pueden gritar: ¡hemos vencido!

Cuando entramos en procesión al auditorio todos mis compañeros y yo estábamos vestidos con la toga y el birrete, propios de la ceremonia de graduación, yo no podía creer que lo había logrado, todo lo que me propuse lo conseguí; quería estudiar, graduarme de la secundaria y lo hice, me sentí orgullosa de mí misma, de mi mamá, de mi familia... no podía creerlo, a qué horas pasó el tiempo, no me di cuenta, pasó sin avisarme.

Mis pensamientos se fueron a recordar episodios importantes de mi vida: mi triste niñez, todo lo que sentía cuando mis padres peleaban, cuando se maltrataban delante de mí, la angustia y el miedo que sentía cuando papá amenazaba a mamá con irse de la casa -por unos instantes los voltee a ver- me dio mucha tristeza y empecé a llorar sin que nadie se diera cuenta.

Pensé cuando estaba en la elemental, cuando mamá me llevaba a la escuela, las veces que quería que papá fuera a recogerme; la tristeza que sentía cuando no iba a verme actuar en las obras de teatro y los padres de mis amiguitas sí lo hacían. Se me vino a la mente los niños que se burlaban de mí porque era latina, porque no hablaba bien el idioma, las veces que llegaba a la casa llorando diciéndole a mamá que ya no quería volver a la escuela y ella con su firmeza me obligaba venir, sin importar lo que estaba sintiendo. Tantos momentos duros de niña que me ayudaron a madurar.

Ese maestro que me rechazaba por el simple delito de llegar de otro país, de ser hija de una familia de inmigrantes, recuerdo que me gritaba y me comparaba siempre con los otros niños que sí eran más "inteligentes" haciéndome sentir mal ante ellos... que ironía fue precisamente eso lo que me llevó a ser fuerte, a retarme a mí misma, a demostrarme que yo podía ser más inteligente y que si me lo proponía podría ser la mejor. Fue esa actitud arrogante e insensible lo que me retó a demostrarles a todos ellos que el color de la piel o las limitaciones económicas no eran un obstáculo para triunfar en la vida; ese rechazo me enseñó a decirme a mí misma "YO SI PUEDO" y se los voy a demostrar.

Estaba completamente absorbida en mis pensamientos cuando escuché de lejos: "Soledad Reina" todo el auditorio estaba aplaudiendo, no entendía por qué...

-El consejo de maestros y la oficina del principal otorgan el premio al ESFUERZO Y SUPERACION a la estudiante "Soledad Reina"

-Soledad, -dijo Mrs. Carson- en nombre de todo el equipo de maestros de la Secundaria Washington High School, te entregamos este premio porque fuimos testigos de tu motivación, entrega y compromiso con tu superación académica, creemos que fuiste una alumna brillante y ejemplar que siempre manifestó preocupación por tu excelencia y, muestra de ello es que todos los maestros hoy te lo queremos reconocer.

Me entregaron un trofeo y un pergamino, me sentí muy impactada, no lo esperaba, jamás me imaginé que esto fuera a suceder, nunca creí que despertara tanta admiración y aprecio hacía mis maestros, siempre pensé que a ellos lo único que les importaba era dar unas clases y recibir un salario, pero hoy me di cuenta que ellos veían en mí, más que una chica rebelde, una joven que quería salir del círculo de la mediocridad, ese mundo hueco y vacío que caracteriza a los adolescentes de hoy.

Con la voz temblorosa por la emoción que este reconocimiento me causó, tomé el micrófono y me dirigí al auditorio:

-Quiero darle gracias a mis maestros por este bellísimo homenaje, gracias por todo lo que aportaron a mi vida, por sus enseñanzas y consejos, por ayudarme a construir como persona. Gracias por esta linda labor que ustedes día a día hacen por educar a esta nueva generación.

En especial, quiero darte gracias Mrs. Sophia, porque más que una maestra fuiste una verdadera educadora, una amiga que conoce y sabe la realidad que nosotros los jóvenes vivimos, gracias porque me ayudaste a cambiar mi vida y eso jamás lo olvidaré.   -todo el auditorio aplaudió-

-Gracias mamá, por todo lo que has hecho por mí -no pude aguantar, un nudo cerró mi garganta y no me dejó hablar- Gracias, por haber creído en mí, porque siempre fuiste mi apoyo cuando más me sentía débil, mi fortaleza en esos momentos de duda, mi seguridad cuando el desaliento llegaba a mi vida... Gracias por jugártela toda por nosotros tus hijos -empecé a llorar sin parar- porque no te importó el quedarte sola, sin saber qué hacer por darnos una mejor vida, eso siempre lo llevaré conmigo. Gracias a ti hoy soy lo que soy y te dedico este premio mamá, este trofeo no me lo dieron a mí, te lo dieron a ti, que fuiste la que hiciste de mí una campeona. -no pude seguir hablando, las lágrimas y la voz temblorosa me lo impidieron, hubiese querido decirle algo a mi padre, pero las emociones y el tiempo no me dejaron expresar todo lo que quería sacar de mi corazón-

El auditorio por completo se paró y empezó a aplaudir, duró una eternidad, mientras la maestra Sophía me abrazaba con mucha emoción, todos mis compañeros aplaudían con cariño y admiración. En ese momento, escuché que el principal mencionaba:

-Ahora, El consejo de maestros y la oficina del principal otorgan el premio al LIDERAZGO Y SERVICIO COMUNITARIO al estudiante "Rafael Buendía"

Cuando escuché su nombre me llené de muchísima emoción, me sentí la mujer más orgullosa del mundo, sentí que mi amor era más grande hacía él, se lo merecía, de verdad era un gran líder y eso hacía que lo admirara profundamente. Lo noté un poco triste pero orgulloso de sí mismo. Al pasar, me abrazó muy fuerte, me dio un beso y me dijo:

-Estoy muy orgulloso de ti chiquitita.

Recibió el premio, tomó el micrófono y dijo: -Desafortunadamente, mis padres no pudieron estar aquí conmigo hoy; mi madre esta en México y por razones legales no me pudo acompañar; mi padre, hace 5 años que falleció... -un silencio se apoderó del auditorio, y un dolor se posesionó de su garganta, mientras que de sus ojos, salía un mar de lágrimas- Siempre me dijo que soñaba con este momento, que cuando llegara este día aquí iba a estar acompañándome y que aunque no lo viera iba estar en medio de la multitud. -Empezó a llorar como un niño pequeño, quería ir a abrazarlo, pero el escucharlo hablar con tanto sentimiento no me dejó-

-Por eso, Papá aunque no te veo, se que estás aquí y a ti te digo que te extraño mucho, que no te he podido olvidar y hoy te dedico este premio que mis maestros me han dado; sé que estés, donde estés, estarás orgulloso de mí. Papá te estoy cumpliendo la promesa que te hice cuando te vi tirado en la cama sin respirar, recuerdas? te dije que siempre iba a ser un hombre de bien y que iba a estudiar para ayudarle a los demás. -lloró con más fuerza- y lo estoy haciendo. Gracias papá, porque tus palabras, tus frases de ánimo, siempre me han acompañado y son las que han hecho que no pueda desfallecer.

-Gracias Tío por cuidar de mí, por haberme dado la oportunidad de venir a este país y ayudarme a salir adelante, jamás olvidaré lo que has hecho por mí... Soledad, -se dirigió a mí, sus ojos estaban llenos de lágrimas- gracias por enseñarme a amar, porque nunca alguien me había hecho sentir tan especial; te amo, eres la mujer más maravillosa que he conocido en mi vida. -Se me acercó y me abrazó con mucha fuerza-

-Te amo.
-yo también te amo.
-Gracias por enseñarme que el Verdadero Amor existe.

-A ti por enseñarme a que sí hay hombres que de verdad pueden amar a una mujer. -y delante de todo el auditorio nos abrazamos como en una novela. Todo el público nos aplaudió, sentí como si fuera el momento en que realmente me hubiera entregado a él en cuerpo y alma, sentí tan cerca a mí el amor puro que no podía creer todas las cosas bellas que en este momento estaba viviendo.

Al terminarse la ceremonia de graduación mi familia se acercó para saludarme, no pude evitar el encuentro con mi Padre, quien al verme, sin decir palabra alguna, se me lanzó, me abrazó y empezó a llorar como un niño. Yo también lo abracé, al comienzo con un poco de resistencia pero, poco a poco, al ver a Palomo y recordar lo que había dicho de su padre, cerré los ojos y permití que mi estúpido orgullo saliera de mi corazón para dar lugar a ese amor de papá, que aunque no había estado, siempre lo había necesitado. Lo abracé y lloré con toda mi alma, como si le estuviera reclamando todo el tiempo que me ha negado como hija.

-Hija perdóname,
-De qué Papá?

-Tú sabes de qué -me miró a los ojos y sus lágrimas corrían por sus mejillas-

-Por qué eres así conmigo, por qué siempre has estado lejos de mi vida?   -también empecé a llorar-

-He sido un mal padre, no supe darles un hogar ejemplar, las discusiones con tu mamá, mi mal genio, hacían que tú me rechazaras, pero ahora entiendo que era yo el que estaba equivocado, perdóname hija.

-Papá, quiero que sepas que siempre soñé con un hogar, con una familia, pero era imposible vivir como estábamos.

-Sí hija, lo sé. He buscado ayuda, estoy yendo con un psicólogo y eso me está ayudado mucho a reconocer mis errores.

-Papá, hazlo por ti, no por nosotros, yo quiero verte bien.

-Hija, estoy muy orgulloso de ti, me siento muy feliz con este grado que acabaste de recibir, sé que vas ir a la universidad y eso fue lo que me hizo reaccionar... sabes, tenía mucho miedo de venir -empezó a llorar con mucho sentimiento- tenía miedo que me rechazaras.

-No Papá, yo no haría eso.

-Gracias hija, gracias. De verdad, estoy muy feliz por ti, por tus logros. Jamás pensé que mi hijita fuera a triunfar, siempre tuve miedo de que te embarazaras, cayeras en las drogas o en las pandillas, como tantas chicas de tu edad; por eso, te controlaba tanto. Soledad, con el corazón en la mano, te pido que me perdones.

-Sí Papá, te entiendo y te perdono, sé que todo esto lo hacías, porque querías lo mejor para mí.

Abrazó a mi mamá, a mis hermanitos y todos nos dimos un fuerte abrazo, era la primera vez que sentía a mis padres como una verdadera familia, sentí como si el tiempo hubiese regresado a mi infancia cuando le pedía a Dios que me diera unos papás que se quisieran, una familia que se amara. Abracé a mi madre con toda mi alma, ella llorando me apretó fuertemente entre sus brazos.

-No me digas nada pequeña, me vas a hacer llorar delante todo el mundo.

-Mamá, como no te voy a decir Gracias, por todo lo que hiciste por mí.

-Hija, hice lo que tenía que hacer -llorando con mucho sentimiento y su voz quebrantada-

-Gracias, por que además de ser una excelente madre, eres mi mejor amiga, mi confidente. Todo lo que soy, lo soy por ti y te prometo mamá que voy a llegar más lejos de lo que te imaginas, para honrar tu nombre y agradecer todo lo que hiciste en mi vida.

-Te amo hija y deseo lo mejor para ti.
-Gracias mamá.

-Estoy muy orgullosa de ti, me siento la mamá más feliz del mundo. Te mereces este premio y muchos más. Eres una excelente niña y haré todo lo que esté a mi alcance para verte completamente feliz haciendo lo que tú más anhelas, así tenga que aguantar hambre para pagar tus estudios lo haré, porque vale la pena.

-Gracias mamita.

-Te voy a extrañar mucho hija, me va hacer falta tus mimos, tus atenciones, tu compañía, tus rabietas -las dos empezamos a llorar- pero tengo que aprender a vivir sin ti. Ya llegó la hora, es el momento en que le tengo que devolver mi hija a la vida, ya me la prestó por 18 años, la recibí en brazos, ahora la regreso siendo toda una mujer, segura de sí misma, de lo que quiere en la vida y eso me llena de mucha paz, de mucha satisfacción.

Hija, créeme... ahora que te vas a ir, vas a dejar un vacío muy grande en mi vida, pero la gratificación de verte feliz, de ver cumplir tus sueños, llenarán por completo ese hueco que dejarás en casa... Y eso no tiene precio.

-Mamá, no sigas por favor, quiero estar feliz este día y ya he llorado lo suficiente.

-Sol, te amo con todo mi corazón, ese es mi regalo. -nos abrazamos con tanta fuerza que a mí se me olvidó el mundo; el tiempo se paralizó, sólo sentía los latidos del corazón de mamá como una melodía que se quedó grabada en mis oídos como una bella canción de amor.

Dos meses después...

Ya llegó la hora de salir a enfrentar el mundo, de construir mi propio destino, soy yo la que a partir de este instante tengo la absoluta responsabilidad de crear lo que va a ser mi vida y eso me atemoriza, me asusta; no sé si soy yo la que me quiero quedar o son mis temores las que no me dejan partir. Estoy en mi cuarto alistando mis maletas para salir en busca de lo que va a ser mi nuevo hogar... tengo mucha nostalgia, me siento en mi cama y lloro como una pequeña desconsolada.

Aquí en esta habitación pasé los mejores años de mi vida, este claustro fue testigo de muchas lágrimas, secretos de niña, sueños de adolescente, suspiros e ilusiones de mujer. No quiero irme, no quiero dejar a mi familia, pero tengo que hacerlo, es el precio que tengo que pagar por tener un mejor futuro. Me imagino a mi mamá, a mis hermanitos, pero tengo que ser fuerte, ahora más que nunca tengo que serlo, es por mi bien. No es una despedida de muerte, es un reto, una oportunidad que la vida me da y tengo que aprovecharla, si yo no lo hago, otros lo harán.

Subí las maletas al carro y nos dirigimos al aeropuerto, ahí estaba mi madre, mi padre, quien últimamente estaba más pendiente y cerca de nosotros, su actitud y su cambio me había sorprendido enormemente; a lo mejor querrá que mamá lo perdone o quizás ya maduró y descubrió la importancia de la familia para un ser humano, en fin. Estaba a mi lado Palomo, mi amor, el hombre que amo, lo vi callado, muy triste, sin palabras, solo acariciaba con sus dedos, mis frías manos, recosté mi cabeza sobre sus hombros sin decirnos nada; mis hermanitos me abrazaban de la cintura sin comprender el por qué tenía que partir, mi Papá conducía y mi Madre trataba de ocultar sus lágrimas observando esa hermosa mañana que era cómplice de nuestro adiós.

Reinaba un silencio total, cerré los ojos para evitar que vieran mis lágrimas correr por mi rostro, trataba de ser fuerte, pero quería gritar, decirle a mi Padre que detuviera el carro y regresáramos a casa, no tenía necesidad de hacer sufrir a mi Madre, pero a la vez pensaba en mí, en mi futuro, vestida de blanco, en un hospital, revisando los pacientes, haciendo cirugías… el pensar en esto me hacía sentir feliz porque estaba contemplando más de cerca mi sueño de ser doctora; estas imágenes me devolvían la fortaleza y la seguridad que tanto necesitaba para enfrentar esta separación.

Llegamos al aeropuerto y mis piernas las sentía débiles, inesperadamente empecé a llorar sin control, sólo abracé fuertemente a palomo y no fui capaz de decir palabra alguna, lo intenté pero no pude; él me abrazó, lloramos juntos, nos vimos a los ojos y con nuestras miradas nos dijimos todo.

-Mi amor, cuando te sientas sola y triste, recuerda que aquí te voy a estar esperando, cuídate mi pequeña, cuídate.

-Tú haz lo mismo, voy a llevarte conmigo, nuestro amor es tan puro, tan grande, que ni la distancia podrá acabarlo.

-Solo recuerda que siempre estaré anhelando tu regreso.

-Te prometo que cuando pueda vendré a verte.

-Prométeme que no me vas a olvidar.

-Te lo prometo. -un beso selló ese promesa de amor, como la que una noche en el portal de mi casa nos hizo soñar-

-Chiquita, vas a ser la doctora más hermosa del mundo, regresa pronto para que alivies mi corazón que por mucho tiempo va a sufrir de soledad.

-No me hagas sentir culpable.

-No, por el contrario, estoy muy orgulloso de ti, vas a ser una doctora, lo que tanto haz anhelado ser, no te parece increíble?

-Sí, eso es lo que me emociona.

-Vas a ver que el tiempo pasa sin que te des cuenta y cuando menos lo pienses vas a regresar a casa siendo toda una profesional.

-Tú crees que yo pueda?

-Claro que sí mi amor, tú eres capaz de eso y mucho más, eres una mujer maravillosa, inteligente, que sabe lo que quiere, eso es lo que me fascina de ti.

-Pero tengo miedo.

-Es normal, pero vas a ver que en muy poco tiempo ya ni te acordarás de este momento.

-Rafa, te cuidas mucho, te deseo lo mejor en tu universidad, yo sé que tú también vas a llegar muy lejos y te prometo mi amor, que con el único hombre con quien yo me casaría, sería contigo.

-Tengo mucho miedo de perderte, vas a conocer muchos chicos allá y no sé, a lo mejor te fijes en uno de ellos.

-Tan poco me conoces?

-Es verdad, eres linda e inteligente y es obvio...

-Palomo, nuestra promesa de amor, el esperar por ti no es un juego, créeme que tú haces parte de mis sueños.

-De veras?

-Sí. Voy a esperar por ti, como una vez te lo prometí.

Nos dimos un fuerte abrazo y ambos lloramos como dos niños que se tienen que distanciar, no pude sentir una profunda nostalgia dentro de mí, por un amor que quedaba en suspenso por cosas del destino. Fue tan intenso nuestro diálogo que me había olvidado por completo de mi familia, ya se me estaba haciendo tarde y tenía que dejarlos. Abracé a mi padre, esta vez sentí más de cerca su amor, o mejor, fueron mis emociones las que permitieron que su amor de padre pudiera entrar en mí y me dejaran sentirlo como aquel papá que busca recuperar la admiración, el amor y el aprecio de su hija y esta vez, así lo viví.

Abracé a mis hermanitos; en especial a Angel, lo abracé como nunca antes en la vida lo había abrazado, le dije lo mucho que lo quería, que lo amaba. Me abrazó llorando, con un llanto de desconsuelo, no me quería soltar.

-Cuídate pequeño, prométeme que te vas comportar bien con mamá, que la vas a cuidar, que la vas a proteger como el hombrecito de la casa, recuerda que ya no voy a estar para cuidarte y regañarte.

-Hermanita, te quiero mucho.
-Yo también, mi ángel... te voy a extrañar mucho.
-Cuándo regresas?
-No lo sé, pero te prometo que va a ser pronto, vas a ver -le di un beso-

Lo tomé en mis brazos y lo apreté contra mí, no quería soltarlo, muchas veces era él quien me daba consuelo en mis momentos de tristeza, ese niño era mi adoración. Cuando viví mi época de rebeldía por los problemas de la casa, fue él, su rostro, el amor que le tenía, lo que no me llevó a cometer una locura; varias veces intenté irme de la casa, pero el pensar en él, en lo mucho que lo iba a hacer sufrir, hacía que mis ideas se detuvieran y cambiara de decisión. Por eso, el despedirme de él, era algo muy significativo y doloroso para mí.

Ya no podía evadir más la despedida de mi madre, había llegado el gran momento, aquel instante del que muchas veces las dos habíamos hablado y que siempre veía tan lejano y difícil que ocurriera; ahora estábamos las dos, confidentes y amigas, enfrentando esta triste realidad, que tarde o temprano, habría de llegar. Mi mamá me abrazó muy fuerte, yo sentí su nostalgia de madre, igual yo la apreté contra mí, como si estuviera tratando de impedir que me hablara, que expresara todo lo que me quería decir,

-Hija, no voy a llorar, no tengo por qué... al contrario, estoy muy emocionada porque tú estás feliz; me siento la mamá más orgullosa del mundo por tener una hija como tú -un nudo se le atravesó en la garganta-

-Gracias madre.

-Ha llegado el momento de ir a conquistar el mundo y tú lo vas a hacer, porque sé que puedes.

-Yo sé que sí... y lo voy a lograr.

-Soledad, que nada te detenga, cumple tus sueños, lucha por ellos, no permitas que nada ni nadie te los destruyas. No dejes que otras personas decidan por ti, tú tienes el control de tu vida y ahora más que nunca es donde necesitas ser fuerte contigo misma, firme con tus valores, segura de lo que anhelas en la vida.

-Gracias por tus palabras mamá, no te imaginas cómo me hacen sentir bien.

-Me prometí a mí misma no hacer de nuestra despedida una tragedia; al contrario, quiero que siempre en tu mente quede grabada la imagen de una mamá que hizo todo lo imposible para que su hija fuera feliz, para que su niña adorada cumpliera todos sus sueños e hiciera de su vida un motivo de orgullo para sí misma y sus futuros hijos.

Jamás pensé que mi mamá me hablara así, estaba profundamente impresionada con todo lo que me estaba diciendo, nunca antes la había sentido tan fuerte y segura de sí misma. Sus palabras me estaban llegando a lo más íntimo de mi corazón... pude percibir que en verdad así es la vida: los hijos, tarde o temprano, nos vamos de casa y sólo nos llevamos todo aquello que nos va a servir para seguir construyendo nuestras vidas; grabamos en nuestras mentes lo que nuestros padres hicieron por nosotros y, cuando son muchas las enseñanzas que ayudaron a construir nuestra personalidad, es ahí cuando el corazón se llena de gratitud, admiración y respeto por ellos...

Pero cuando no es así, cuando en nuestra mente no hay esas palabras de amor, respeto; cuando en nuestros recuerdos no quedaron grabadas esas imágenes de un papá o una mamá que nos dieron gratificación, cuando sólo percibimos en ellos las figuras de una autoridad que no se involucraron o que simplemente, estuvieron ausentes en nuestras vidas, es ahí cuando el corazón sólo responde con reproches, acusaciones, resentimientos... impidiendo así, que el amor y el respeto fluyan, aunque sean nuestros propios padres.

-Mamá, jamás voy a olvidar tus enseñanzas, todo lo que hablamos, tus consejos. Créeme que eso es lo que me ha ayudado a enfrentar tantos obstáculos. Hoy más que nunca estoy convencida de lo que soy, de lo que quiero.

-Lo sé hija, lo sé.

-Sé perfectamente lo que pienso de mí, tengo mi autoestima muy fuerte y tengo muy claro lo que quiero hacer con mi vida, no te preocupes mamá, te prometo que jamás te defraudaré.

-No lo hagas por mí, hazlo por ti.

-Sí Mamá, yo sé que puedo conseguir todo lo que me propongo y voy a ir a la universidad no con la mentalidad de una chica sobreprotegida que sus padres le dicen lo que tienen qué hacer. No, yo vengo a estudiar porque quiero prepararme para un mejor fututo.

-Adiós hija, sólo le pido a Dios que te cuide y te proteja de todo peligro.

-Adiós Mamá, eternamente gracias, te lo digo con toda mi alma... por todo lo que hiciste por mí.

Un abrazo y un beso en la frente hicieron que nuestras mejillas se unieran en un eterno encuentro que jamás termina. Unas cuantas lágrimas salieron de nuestros ojos como muestra de satisfacción de una madre por el deber cumplido y... por la gratitud de una hija hacia una madre que nunca se rindió ante la difícil tarea de educar a sus hijos.

Seis meses después...

Después de recibir tantas cartas de mi Mamá -casi dos por semana- llegó una que me llamó profundamente la atención, aquí ella me mencionaba que papá quería regresar a casa, le había pedido que lo aceptara nuevamente en su vida, lo cuál me alegró mucho porque siempre pude ver, que a pesar de todo, mi madre nunca había dejado de amarlo. Es más, nunca la visualicé en brazos de otro hombre, quizás por respeto a nosotros sus hijos, por temor a que algún día le hiciéramos algún reproche o simplemente, porque no quería sustituirnos el amor de nuestro verdadero papá.

Pero lo que más me inquietó fue la manera cómo me lo escribió, pude entrever que me estaba pidiendo como un consejo o mejor aún, como si estuviera buscando mi aprobación. En ese momento estaba en mi computadora cuando mi madre entró al chat y allí pudimos generar una conversación que a mi juicio, ha sido de los diálogos más bellos que he tenido con ella:

-Hola Hija, cómo estás?
-Muy bien Mamá... y tú?
-Feliz, pero un poco confundida.
-Por qué?
-Por lo que te escribí en la carta a cerca de tu papá, qué piensas?

-Mamá, yo me siento muy feliz con mi vida, me siento la mujer más realizada en todas mis dimensiones como ser humano, lo mismo deseo de corazón que pase contigo.

-Lo sé hija, pero tengo miedo que las cosas vuelvan a ser como antes.

-Mamá si estás buscando mi aprobación, pues claro que lo deseo pues él es mi padre... pero no se trata de eso, aquí lo que realmente importa es que tú seas feliz, que te sientas amada, valorada, respetada en toda tu integridad como mujer porque no tiene sentido que vuelvas con papá por miedo a la soledad, por el qué dirán o simplemente, por taparle la boca a tu familia que tanto te ha criticado...

Mamá tú te sientes segura de dar ese paso? porque si no es así, no lo hagas. No se vale mantener un matrimonio por apariencias. Para qué vivir en una relación donde ni tú ni él son felices? Si mi papá no está dispuesto a cambiar, no tiene caso que regresen, se necesita muchísima madurez y entrega... tú ves eso en él? -increíble estar aconsejando a mi propia madre, quien lo creyera-

-Sí hija, lo veo... tu papá es muy diferente a aquel hombre inmaduro e inseguro que una vez conocí, ya no es aquel tipo agresivo que solo infundía miedo y un falso respeto... ahora lo veo reflexivo, como si el paso del tiempo le hubiese obligado a entrar en razón.

-Mamá, no te engañes, eres tú la única que puedes responderte a ti misma, si vale la pena darle una oportunidad a quien te enseñó a amar con odio, a sentir aprecio con resentimiento, a perdonar con miedo de ser lastimada nuevamente... solo tú conoces lo que has vivido, por lo tanto eres tú, la que sabes hasta dónde puedes volver a confiar.

-Ese es el miedo hija, no quiero volver a equivocarme, no puedo volver a permitir que alguien me haga daño. En este tiempo de ausencia, pude percibir la paz, la armonía, la soledad, pero también la inmensa satisfacción de poder decirme a mí misma, "YO... SI PUEDO" y no depender de nadie para ser feliz, para sostenerme. El día que ame a alguien que sea sin condiciones, sin temores, sin apegos, sin invalidaciones y eso es lo que siento ahora...

-Estás dispuesta a renunciar a esta vida que ahora tienes?.
-Sí.
-Por amor o por necesidad?
-Necesidad de qué?
-De sentirte amada, de evadir tu soledad, sentir compañía, terminar tu vida con alguien o simplemente, por capricho.

-Hija, te cuento que jamás pensé que me hablaras así, ¡cómo has madurado mi niña!, te siento una mujer muy centrada, segura de sí misma, que ha crecido enormemente y eso me llena de mucho orgullo. Te siento muy diferente y eso me agrada hija...

-Mamá, no me desvíes la conversación, te amo y deseo lo mejor para ti, si tú crees que mi papá todavía está en condiciones de hacerte feliz y está dispuesto a luchar por ti, adelante... si no lo ves claro, aunque sea mi papá, dile que no. Es mejor que esperes, dense más tiempo para conocerse, al fin y al cabo ustedes dos no han tenido tiempo para eso, se casaron muy jóvenes y nunca tuvieron la oportunidad de ser novios, luego tuvieron hijos y entraron desde muy chicos a asumir responsabilidades para las que no estaban lo suficientemente preparados; eso tuvo que afectar su relación.

Ahora ya más maduros se pueden enfocar en compartir aquellas momentos que el tiempo les negó vivir cuando lo tuvieron que haber vivido. Dense tiempo para los dos y luego si ven que aún sigue encendida esa pequeña chispa de luz que dejaron enfriar, pueden dedicar toda su vida a reconstruir ese fuego que se ha perdido entre los dos, no lo crees?

-Me dejaste sin palabras. Tienes toda la razón mi muñeca, créeme que tendré muy en cuenta todo esto que me estás diciendo. Por eso, quería hablar contigo, porque más que mi hija, eres aquella amiga con quien mamá puede desahogar todas sus inquietudes, sin sentirse recriminada ni cuestionada.

-Así me siento cuando hablo contigo mamá, lo que pasa es que tú eres la que me tienes que dar consejos, no yo a ti. Jajajaja. -reímos-

-Es cierto.

-Pero Mamá, sea cuál sea la decisión que tomes, seguirás siendo mi madre, ese ser maravilloso y especial que la vida me regaló para que fueras quien guiaras mis pasos por el camino de la vida, siempre te respetaré y admiraré como tal -unas lágrimas empezaron a rodar por mis mejillas, estaba muy emotiva hablando con ella, no sé si era por la soledad que sentía en ese momento o porque tenía nostalgia de no poderla ver y abrazar en este instante que sé, me estaba necesitando-

-Gracias hija por tus lindas palabras, me haces sentir la mamá más especial del mundo... a veces, pienso que no lo soy.

Quería seguir chateando con mi Madre por más tiempo, pero necesitaba acostarme temprano, mañana tenía un día pesado en la universidad, tenía que presentar un examen y un proyecto de investigación, pero tampoco quería cortarla para no hacerla sentir mal. Eso pasa cuando los hijos ya hacemos nuestra propia vida... nuestras motivaciones, intereses y expectativas de la vida están por encima del afecto de nuestros padres, que pena decirlo, pero es la verdad.

-Mamá, te tengo que dejar, ya hablamos mucho y tengo que hacer varias cosas aún, mañana debo madrugar y estoy un poco cansada.

-Sí hija, no te preocupes, te entiendo. Me dio mucha alegría hablar contigo, cada vez me siento más orgullosa de ti. Gracias por tus reflexiones, las sentí muy sinceras y profundas. Te amo, cuídate mucho.

-Yo también Mamá, te adoro, un beso a mis hermanitos y saludos a papá.

-Que Dios te cuide preciosa.
-Igual a tí.
-Adiós.

Unas semanas después supe que mi papá había regresado a casa, me alegré por ella, por mis hermanos; porque para uno de hijo siempre es importante tener el apoyo y el cuidado de un padre, de alguien que te corrija con amor, que te acompañe en los momentos claves de tu vida, alguien con quien compartir tus dudas e inquietudes, una figura masculina; en el caso de mis hermanos, para poder hablar de Hombre a Hombre sobre cosas de la vida, ese modelo que uno de chico siempre necesita para sentirse importante.

Muchas veces sentí ese vacío, esa profunda nostalgia de extrañar un padre amigo, que me hablara y fuera mi apoyo, mi seguridad. Crecí con la ausencia de una figura paterna, eso me hizo rebelde, retadora y fuerte ante la vida; por eso, soy como soy, no me quiero doblegar, quiero superarme para el día de mañana no depender de un hombre, para no mendigarle amor a nadie y no ser esclava de una relación enfermiza.

Quiero a través de mis logros, ser una persona auto-suficiente, que se ama a sí misma, ese es el verdadero secreto para poder amar profundamente a alguien: amarte primero a ti mismo y eso es lo que la gente no ha podido entender. Porque si realmente te amas a ti mismo vas a saber de antemano lo que nunca permitirías que te hicieran, conocerías cuáles son los límites del amor y sabrías muy claramente hasta dónde podrías entregarte sin hacerte daño, sin dejar que te hieran.

Sólo los que tienen un amor propio bien definido son los que triunfan porque no se dejan doblegar ante las dificultades, no le tienen miedo a los retos, saben que la vida es un eterno conflicto, una constante lucha. Las personas que les da miedo el sacrificio y el compromiso son los que se quedan toda la vida esperando que los otros cambien o que las circunstancias estén a su favor para poder tomar decisiones.

Y no, mi vida no puede ser así, yo no puedo esperar a que otros decidan por mí, soy yo la que tengo que definir cuál será el rumbo de mi destino, de mí depende, sólo de mí. En mis manos está cuál será la dirección que mi vida va a tomar, es un reto, produce miedo y a veces crisis y llanto... es más fácil y cómodo dejarse llevar por el tiempo, quedarse en casa viviendo cómodamente... pero no, ese no es mi estilo, esa no soy yo, no sirvo para quedarme en casa esperando a que las oportunidades vengan a mí, yo tengo que salir a buscarlas.

"Porque se vale equivocarse muchas veces,
lo que no se vale,
es vivir equivocado toda la vida"

Años después…

La vida es un instante, en un abrir y cerrar de ojos nuestra vida cambia, hace poco que era una adolescente rebelde, inconforme; no hace mucho que salí de mi casa en busca de mis sueños, de las oportunidades que yo sé que estaban esperando por mí… y heme aquí ahora, regreso siendo una doctora. Ahora todo es muy diferente, aunque sigue siendo la casa de mis padres, ya no es mi mundo. Mis expectativas de vida han hecho de mí un ave que vuela muy alto, no me hallo aquí en este lugar, porque mi vida está donde están mis sueños.

Regresé con un propósito, cumplir la promesa que una vez prometí a alguien, -que aunque el tiempo nos separó y distanció enormemente, no logró apagar ese fuego intenso y ardiente que se siente cuando de verdad se ama con el corazón- vine a buscar a palomo. Sí, a mi palomo… tenía miedo a su rechazo, a encontrarlo con otra mujer, a ver en sus ojos la ingratitud del olvido, el mortal golpe de la indiferencia o simplemente, el rechazo de alguien que se le olvidó amar.

Lo primero que se vino a mi mente fue aquella hermosa noche cuando lleno de amor e ingenuidad me entregó este anillo que aún conservo, como el anillo de compromiso que una vez soñamos los dos. Reviví aquel instante como si fuera hoy mismo que estuviera sucediendo, no pude evitar el que mis ojos se llenaran de lágrimas y mi corazón quisiera salirse de mi cuerpo de tanta emoción.

Quería buscarlo pero me daba miedo, tenía ansiedad de saber cuál era su respuesta, nuestra relación se había enfriado muchísimo a causa de mis estudios, aunque seguíamos comunicándonos y hablando de los dos, no era lo mismo, yo lo sentía; él me lo expresó de varios modos... muchas veces me pidió que dejara la universidad y que nos casáramos, pero por ningún motivo lo quise hacer. Esto influyó bastante para que la relación ya no fuera la misma, lo reconozco, pero nunca mi corazón ha dejado de amarlo, nunca he mirado a otro hombre como a Palomo y eso es lo que realmente importaba en este momento, que ese amor intenso y puro aún continuaba vivo dentro de mí.

Esa tarde la pasé en mi casa, me dio mucha alegría volver estar aquí con mi familia, en mi cuarto -y aunque muchas veces en las vacaciones regresaba- esta ocasión era especial, sentía algo muy diferente dentro de mí. Esa noche mamá vino a consentirme, lo extrañaba mucho, hace muchos años que no sentía esto, lo anhelaba, quería volver a sentirme adolescente, revivir esa época bella de mi juventud.

-Cómo estás hijita?
-Muy bien mamá, me siento un poco extraña pero feliz.

-Hace tiempo que no hacíamos esto, te acuerdas que parecíamos dos cotorras jajajaja.

-Claro que sí, cómo olvidarlo.
-Estoy muy feliz que estés aquí con nosotros.
-Yo también Mamá,
-Quieres dormirte ya, estás cansada?

-No. Mamá, quiero ver a Palomo, necesito saber cómo está, qué siente por mí, necesito definir esa etapa de mi vida que quedó abierta y aún no se cierra.

-Lo amas?

-Creo que sí, nunca lo he podido olvidar, jamás me ha llamado la atención otro hombre, siempre pienso en él, en las cosas lindas que los dos vivimos, en tantas cosas bellas que me hizo sentir.

-Y cuál es el problema?

-Mamá, no sé cómo me va a recibir cuando me vea, la relación de los dos se distanció mucho, se enfrió demasiado, yo estaba enfocada en mis estudios, él terminó su carrera y esperaba que me casara con él, pero yo no podía dejar la universidad... no sé si eso lo alejó definitivamente de mí.

-Mi amor, si él verdaderamente te ama, te estará esperando.

-Pero a veces creo que se cansó de esperar... me rogó muchas veces que le diera el sí y creo que a lo mejor ya todo está muerto para él.

-No creas hija, cuando hay amor de verdad, no importa la distancia, ni el tiempo, ni las circunstancias, el amor todo lo soporta.

-Sí mamá, pero tengo miedo a su rechazo.
-El sabe que tú estás aquí hoy?
-No, no tiene ni idea, va a ser una sorpresa para él... o para mí   jajajaja. -reimos las dos-

-Vas a ver que es más el miedo y la ansiedad que tienes.

-Mamá, consiéntame como lo hacías antes y apenas me veas dormida te vas para tu cuarto, quiero volver a sentir que soy tu consentida.

-Esta bien hijita, duérmete.

Al día siguiente fui a buscar a palomo en la escuela donde trabajaba, quería estar segura que no me viera, tenía miedo de acercarme a él. Mis manos temblaron de emoción cuando a lo lejos lo alcancé a ver... todo mi cuerpo saltaba de alegría, mi corazón latía desesperado, deseaba salir de mi cuerpo para ir en busca de el; mis piernas las sentía débiles y de mis ojos brotaban lágrimas de amor. Sí era mi palomo, lo vi más bello, más hermoso, quería correr a sus brazos, abrazarlo y besarlo con toda mi alma, pero algo me lo impedía.

Por fin me decidí, bajé del carro y fui a su encuentro... cuando me vio se quedó estático como una momia, no podía creerlo, sus ojos se llenaron de lágrimas y su boca no pronunciaba palabra alguna, estaba mudo. Bajó la mirada y sentí miedo de su reacción, me quedé en espera, no sabía si le había gustado o no mi presencia allí, todo mi cuerpo temblaba de nervios. Cuando levantó la cabeza, corrió a mi encuentro, me abrazó con todas sus fuerzas, me cargó entre sus brazos y llorando de emoción, preguntó:

-Qué haces aquí?

-Vine a buscar al hombre que amo.

-De verdad? -y sujetándome entre sus manos me dio el beso más apasionado y tierno que jamás haya sentido-

-Te amo Palomo.

-Yo creí que ya te había perdido para siempre, jamás pensé que volviéramos a estar juntos.

-Qué poco me conoces.

-Te alejaste de mi vida sin darme cuenta, me sacaste de tus proyectos, de tus ideales, de tu corazón.

-No es cierto, jamás lo hice.

-Entonces por qué tanta ausencia?, por qué tanto silencio entre los dos?

-Porque una vez te dije que la universidad era mi prioridad y eso lo tenías que entender.

-Has conocido a alguien más, te has enamorado de otro?

-No, nunca lo he hecho, siempre has sido tú el amor de mi vida, eres tú el único hombre a quien yo me entregaría en cuerpo y alma como una vez te lo dije.

-De verdad?

-Sí, así es. Y tú, te has enamorado de alguien, estás saliendo con otra mujer?

-No. Aunque ganas no me han faltado jajajaja.

-Pero que sea más linda e inteligente que yo, jajajajajajaja. -reímos-

-Soledad, te amo... tú sabes que eres la única mujer a quien yo verdaderamente he amado en toda mi vida.

-A pesar del distanciamiento y la soledad que los dos hemos vivido?

-Sí, a pesar de todo eso.

-Yo también te amo y nunca te he dejado de amar… sabes,

-Qué?

-tenía miedo de este re-encuentro.

-Por qué?

-Tenía miedo a que me rechazaras, que me odiaras y que ya no quisieras nada conmigo; es más, creí que ya estabas con otra.

-No, siempre he esperado por ti, yo sabía que algún día este momento iba a llegar, lo que pasa es que siempre creí que a lo mejor te ibas a enamorar de otra persona, quizás con algún compañero de universidad, no sé.

-No seas tontito -lo interrumpí dándole un beso, ese beso que deseaba para sentirme amada, ese contacto que necesitábamos los dos, para reavivar esa llama del amor que estaba en cenizas-

-Te amo mi sol, eres mi sol.

-Gracias por esperarme, por haber tenido la paciencia de aplazar tus sueños y esperar a que yo cumpliera los míos, esto es lo que me hace amarte porque con tus actitudes me haz demostrado que yo he estado por encima de tus planes, que yo he sido tu prioridad y eso me hace sentir segura de ti.

-Te amo. -nos besamos, como si fuera la primera vez que lo hacíamos, sentí una alegría inmensa dentro de mi corazón-

Esa misma noche salimos a cenar, fuimos a un sitio bellísimo, que siempre que éramos estudiantes nos decíamos: "algún día estaremos cenando aquí", me reí de eso, las sorpresas que nos da la vida... ayer como adolescentes soñadores hoy como dos adultos que ya saben lo que quieren. Sin embrago, lo notaba un poco nervioso, ansioso...

-Te pasa algo?
-No, nada. Por qué lo dices?
-Te noto un poco incómodo en este lugar, quieres que nos vayamos?
-Sí.
-Sucede algo que yo no sepa?
-No, simplemente quiero que vayamos a otro lugar más especial para los dos.
-Otro lugar? ... A qué te refieres?
-No es lo que estás imaginando... yo sé que contigo es hasta el matrimonio   jajajajajaja.

-Que bien que aún lo tienes muy claro y no es necesario que te lo recuerde jajajajajajaja.

-Todavía piensas así? O el haber terminado ya una carrera y ser una doctora te llevó a cambiar de idea.

-No, mi amor... aprendí otras cosas, pero afiancé mis valores, lo que yo pienso de mí, no cambia ni con el tiempo ni con los títulos.

-Amor, quiero que vayamos a un lugar que yo sé que te va a gustar mucho.

-Pero por qué tanto misterio?

-Sólo déjate llevar... está bien?.

Salimos del restaurante y nos dirigimos a aquel lugar que él insistía que fuéramos, me generaba un poco de incertidumbre, zozobra, miedo quizás, pero sabía que estaba con él y eso me daba mucha seguridad; el sólo pensar que estaba conmigo me llenó de mucha emoción porque veía la felicidad en sus ojos... al llegar a cierto lugar paró el carro, sacó una venda y me pidió que me tapara los ojos. Estaba llena de mucha curiosidad.

-Qué sientes? -me preguntó-
-Muchísima incertidumbre, curiosidad tal vez.
-Tienes miedo?
-No... por qué tendría que tener miedo?

-No sé, a lo mejor crees que te voy a hacer algo, te voy a violar, o algo así jajajajajaja.

-Si pensara eso de ti, jamás hubiese aceptado salir contigo a ninguna parte.

-Sí, pero a lo mejor he cambiado.

-No, sigues siendo aquel caballero, aquel hombre respetuoso que yo siempre amé.

-No tengas miedo chiquita -se acercó y me dio un beso, yo lo besé con todo mi corazón. Tenía los ojos vendados y esto me llenaba de muchísima curiosidad-

Sentí que se bajó del carro y me dejó allá adentro, me pidió que no me quitara la venda, que era una sorpresa que me tenía. Me sentía extraña, muy aterrada con lo que estaba sucediendo, no puedo negar que sí estaba muy prevenida. Abrió la puerta de mi lado y me dio la mano para que pudiera salir, me tomó del brazo y caminamos.

-A dónde me llevas Rafael?
-A un lugar muy significativo para los dos.
-La playa donde nos pasamos de límites la primera vez?
-No, no preguntes más.
-Me vas a matar de la curiosidad -seguía caminado con la venda en mis ojos, no veía nada, pero estaba segura de mí misma-
-Tienes miedo?
-No. Por qué me preguntas tanto eso?
-Porque quiero saber si tienes miedo.

Paramos en un lugar donde se sentía una ráfaga de aire fresco, no sentía ruidos, parecía un lugar muy solitario, no lograba percibir nada. Tomó mi cara entre sus manos y me besó, me dio un beso de hombre enamorado, yo correspondí sin prejuicios ni temores. Me pidió que cerrara los ojos y que los abriera cuando me lo pidiera, me quitó la venda de los ojos y me dijo: los puedes abrir... frente a mí tenía una cajita pequeña bien envuelta, la abrí y era un precioso anillo de oro.

-Soledad, te quieres casar conmigo?

-Me puse a llorar, no podía hablar de la emoción, lo abracé con todas mis fuerzas -claro que sí, siempre esperé por este momento, tú sabes que te amo con toda mi alma... y tú por qué quieres casarte conmigo?

-Porque te amo, te adoro, eres la mujer que siempre he amado.

-No te imaginas cuántas veces soñé con este momento.

-De veras? -lo abracé y lloramos juntos con mucha emoción- no sabes dónde estamos?

-No.

Estaba tan emocionada que no me había dado cuenta que estábamos en el patio de la High school donde estudiamos juntos, donde nos conocimos, me dio muchísima emoción estar allí. Este lugar representa para mí el escenario donde pasaron los años más maravillosos de mi vida, el lugar que me dio las herramientas para yo hoy ser lo que soy, el sitio donde dejé ser una niña insegura y conflictiva para convertirme en una mujer exitosa y llena de sueños por cumplir... y lo más importante de todo, el lugar donde conocí el hombre que amo y a quien estoy dispuesta a entregarle todo lo que soy por el resto de mi vida.

-Sabes por qué te traje hasta aquí?

-No, por qué?

-Porque fue aquí justamente en este mismo sitio donde ahora estamos parados, que hace unos años atrás, yo sentí algo profundo por ti, lo recuerdas?

-Claro, cómo olvidarlo.

-Te acuerdas cuando me acerqué para preguntarte cómo te habías sentido en el club de lectura? Jajajajajaja.

-Sí, nunca se me olvidará ese día.

-Por eso, quería que fuera este mismo lugar donde te iba a pedir que fueras mi esposa, porque aquí te conocí.

-Soledad, de verdad aceptas casarte conmigo?
-Sí, lo acepto.
-Quieres que te diga una cosa?
-Dime.

-Y te lo digo en serio. Si tú hubieses sentido miedo, desconfianza o hubieses dudado de mí, cuando veníamos para este lugar, te juro que yo no te hubiese entregado este anillo... porque eso significaría que aún no me conoces lo suficiente para ser tu pareja.

-De verdad?

-Sí, honestamente te lo digo, por eso estaba tan nervioso, porque estaba dispuesto a hacerlo.

-Y qué piensas ahora?

-Que de verdad confías en mí, que hemos aprendido a conocernos, a respetarnos, a fijar límites de respeto entre los dos y eso para mí es muy importante.

-Sabes... quiero que seas el padre de mis hijos, esto que hiciste hoy fue algo maravilloso, una manera muy original de hacerme sentir especial. Sí confío en ti, sé la clase de persona que eres y por eso estoy dispuesta a darte mi vida, mi tiempo, mi intimidad, todo mi ser. Lo aceptas?

-No sólo lo acepto, lo necesito.
-te amo.
-Yo te adoro.

-Yo a ti. -nos abrazamos tan fuerte que no sentí el paso del tiempo, nuestros labios se unieron en un beso que se quedó grabado para siempre en nuestros recuerdos como un cuadro de Picasso-

Seis meses después...

Hoy es el día de nuestra boda, me siento la mujer más feliz del mundo, he conseguido todo lo que me he propuesto en la vida, no ha sido fácil, es la lucha interna que todos los días tenemos que hacer cada uno de nosotros; unos por no dejarnos llevar por la mediocridad y otros por salir de ella.

Siento cosas muy bellas, pero más que la felicidad de entregarme al hombre que amo es el haberme demostrado a mí misma que SI SE PUEDE vivir en un mundo como este sin necesidad de tener la misma vida vacía y sin sentido que tienen mis amigas.

Yo soy de origen hispano, mis padres emigraron a este país en busca de mejores oportunidades, como lo hicieron las familias de mis amigos, pero yo sí quise aprovechar las oportunidades que me ofreció esta cultura. No tiene sentido venir a este país a tener una vida miserable, a estar en drogas o pandillas como muchas jóvenes de mi edad... Para eso, mejor me hubiera quedado allá con mis abuelos. No, yo vine aquí a triunfar, a salir adelante, porque "las oportunidades que yo deje pasar, otros la van a aprovechar".

Por eso, me siento feliz, porque soy un motivo de orgullo para mi mamá que tanto se ha esforzado por mí, para mi Papá que tanto se ha matado en esa fabrica para que no me falte nada, para mis abuelos que siempre creyeron que mi vida iba a ser un fracaso por el sólo hecho de estar aquí en este País. Y sobretodo, soy un orgullo para mí, para mi futuro esposo, para mis futuros Hijos, porque siempre van a tener a su lado una mujer que siempre supo decir NO a todo aquello que significaba un daño para sí... Y si ayer lo hice de hija, hoy lo voy a hacer de Esposa, mañana de Madre.

Hoy que estoy aquí ante un altar entregándole mi vida a la persona que más amo, rodeado de una madre maravillosa que siempre fue mi amiga, confidente y consejera; de un padre que supo reconocer sus errores a tiempo y que tuvo la valentía de decir quiero cambiar, de unos Hermanitos que hoy son mi adoración y encanto... de tener en mis manos el sueño de poder ser útil a una Sociedad ayudando a tantas personas que van a necesitar de mi cuidado y atención... Hoy, puedo decir con el corazón en la mano, que mi vida se resume en dos palabras:

"YO... SI PUDE"

-Sacerdote: Rafael Palomo Buendía, aceptas como esposa a Soledad Reina y prometes serle fiel en la salud y en la enfermedad....hasta que la muerte los separe.

-Sí, acepto.

-Sacerdote: Soledad Reina, aceptas como esposo a Rafael Palomo Buendía y...

-Sí, acepto.

-Sacerdote: Yo los declaro marido y mujer hasta que la muerte los separe, ahora el novio puede besar a la novia.

Este beso se quedó eternamente grabado en mi memoria, como aquel beso que nos dimos en la puerta de la casa, aquella noche de luna plateada en que Rafael me entregó aquel anillo que representaba para los dos, esa promesa de esperar hasta hoy... aquella noche donde se inició esta historia de amor.